TŁUMACZKA

W serii:

Minaret Leila Aboulela
Arabska perła Maha Gargash

O autorce

Leila Aboulela urodziła się w 1964 roku, dorastała w Chartumie, w Sudanie. Jest autorką powieści *Minaret* i zbioru opowiadań *Coloured Lights*, a także zdobywczynią Caine Prize for African Writing. Jej książki przetłumaczono na sześć języków. *Tłumaczka* jest jej pierwszą powieścią. Książka znalazła się na długiej liście kandydatów do Orange Prize i nagrody IMPAC Dublin i na krótkiej liście do nagrody Saltire Society Scottish First Book of the Year Award.

LEILA ABOULELA

TŁUMACZKA

Z angielskiego przełożyła
Anna Zdziemborska

REMI

Tytuł oryginału: *The Translator*

Redakcja: Beata Słama

Zdjęcie na okładce: iStockphoto

Projekt graficzny okładki: Katarzyna Portnicka, Wojciech Portnicki

Skład: Michał Nakonieczny

ISBN 978-83-922897-8-4

Dystrybucja
Firma Księgarska Jacek Olesiejuk Sp. z o.o.
ul. Poznańska 91, 05-850 Ożarów Mazowiecki
tel. (22)721 30 00/11, fax (22)721 30 01
www.olesiejuk.pl

Sprzedaż wysyłkowa
www.olesiejuk.pl
www.empik.pl
www.merlin.pl
www.amazonka.pl

Wydawnictwo REMI Katarzyna Portnicka
ul. Łukowska 8 m. 98
04-113 Warszawa

www.wydawnictworemi.pl

2010. Wydanie I, op. miękka

Druk: Nasza Drukarnia

Część pierwsza

Lecz to, co do mnie przychodzi,
przepowiadam z myśli mego wnętrza,
przecząc oczom.

Abu Nuwas (757-814)

1

Śniło się jej, że padał deszcz i nie mogła wyjść, żeby się z nim spotkać, tak jak się umówili. Nie mogła przejść po nieprzyjaznej wodzie, ryzykować, że na stronach, o których tłumaczenie ją poprosił, rozmaże się atrament. Niepokój, że każe mu czekać, wypełniał cały ten sen. Bała się deszczu, bała się mgły i śniegu przychodzących do tego kraju, bała się nawet wiatru. W takie dni zostawała w domu i czekała, obserwując przez okno, jak ludzie robią to, czego ona nie może: dzieci idące do szkoły pośród wirujących liści, staruszków rozbijających laskami lód na chodnikach. Byli nadludźmi, olbrzymami, niepozwalającymi, by żywioły stanęły im na drodze. W zeszłym roku, kiedy mgła sprowadziła na miasto mrok, ukrywała się w domu przez cztery dni, aż wyjadła z szafek wszystko, do ostatniej paczki makaronu, pijąc kawę bez mleka. Piątego dnia, kiedy mgła się podniosła, wyszła wygłodniała z domu i kupowała jedzenie z takim zapamiętaniem, że kręciło jej się w głowie.

Jednak sen Sammar się nie sprawdził. Kiedy obudziła się rano, nie padało, choć niebo było bure, w kolorze szkockiej szarości, z mgłą znad Morza Północnego. Wyszła z domu na spotkanie z Rae Islesem, zgodnie z planem, kurczowo ściskając niebieską teczkę z tłumaczeniem manifestu Al-Nidaa.

Drzwi wejściowe do ogrodów zimowych (rozbudowanej oranżerii w parku Duthie) pokryte były tabliczkami informacyjnymi. *Prosimy nie wchodzić z wózkami dziecięcymi i wózkami inwalidzkimi, Prosimy nie wchodzić z psami, otwarte od 9:30 do zmierzchu.* W tym kraju wszystko jest opisane, wszystko ma nazwę. Przyzwyczaiła się do tej precyzji, wszystkich tych oznakowań i uprzejmych zakazów. Była dziewiąta trzydzieści i kiedy weszli, w środku był tylko ogrodnik pchający taczkę po mokrych popękanych płytach oddzielających jedne rośliny od drugich. Były tam tropikalne kwiaty kwitnące w wilgotnym cieple, pomarańczowe ryby w płynącej wodzie, pogwizdujące ptaki latające pod dachem, gdzie szklany sufit odbierał znaczenie szarości nieba.

Ławki. Biały powyginany metal, a na każdej tabliczka: *Dla uczczenia pamięci...* tej czy innej osoby. Zupełnie jakby ludzie musieli umierać, żeby inni mogli siedzieć sobie w ogrodach zimowych. Ludzie muszą umierać... Poczuła ruch niewidzialnego znamienia, które obudziło się do życia. Było ukryte przed Rae, jak jej włosy i skóra na ramionach. Można je było sobie tylko wyobrazić. To znamię skrystalizowało się cztery lata temu. Smutek się uformował, nabrał kształtu, kształtu diamentu, czterema rogami przytwierdzony do jej czoła, ramion i szczytu żołądka. Wiedziała, że jest niewidzialny, wiedziała, że kryje się w nim podobny do rtęci płyn przelewający się wolno z góry na dół, gdy ona się porusza. To, że smutek ma kształt diamentu, było dla niej logiczne. Czoło - bolało ją, kiedy płakała, w tym miejscu, za oczami; ramiona - opuszczone, dźwigające serce. A róg w górnej części żołądka... tam usadowił się ból.

Była więc w pewien sposób przygotowana, teraz, kiedy płyn w diamencie przelewał się ostrożnie niczym olej i nie była zaskoczona, kiedy Rae zapytał ją o Tariqa.

– To syn mojej ciotki – odparła – ale poznałam go dopiero, kiedy miałam siedem lat. Wiesz, że urodziłam się tutaj i wróciliśmy do domu z rodzicami, gdy skończyłam siedem lat.

Siedzieli na ławce w pomieszczeniu pełnym kaktusów wyglądających jak rzędy kosmitów w różnych odcieniach zieleni, różnej wysokości, wyprostowanych, wsłuchanych. Otaczał ich piasek, ponieważ pomieszczenie miało wyglądać jak pustynia. Światło też było inne, bardziej wypełnione powietrzem, bardziej żółte.

„Dopiero, kiedy miałam siedem lat". Takich słów użyła, mówiąc „dopiero", jakby nie mogła pogodzić się z tymi pierwszymi siedmioma latami życia bez niego. Dawniej, w lepszych czasach, pisała na nowo początek swojego życia. Wyobrażała sobie, że jej poród w rodzinnym Sudanie, największym afrykańskim kraju, w szpitalu Sisters' Maternity, przyjęła zakonnica ubrana na biało. Lubiła sobie wyobrażać, że Tariq czekał na nią pod salą porodową, trzymając matkę za rękę, niecierpliwie jej wypatrujący i lekko zaniepokojony. Gdyby urodziła się w Chartumie, być może otrzymałaby inne, bardziej zwyczajne imię. Jej imię zasugerowała ciotka, kobieta, która miała zdanie na każdy temat. Była jedyną Sammar w szkole i w college'u. Rozmawiając o niej, ludzie nigdy nie musieli używać jej nazwiska. „Czy wymawia się je jak porę roku, lato?" - zapytał ją Rae przy pierwszym spotkaniu. „Tak, ale znaczy coś innego". A jako że chciał wiedzieć więcej, dodała: „Oznacza rozmowy z przyjaciółmi późną nocą. Coś, czemu lubili się oddawać nomadzi, niespiesznym pogawędkom w świetle księżyca, gdy nie było już tak gorąco, a codzienne obowiązki zostały wypełnione".

Rae znał Saharę, wiedział, że większość arabskich imion ma swojskie konotacje. Był historykiem specjalizującym się w Bliskim Wschodzie i wykładał politykę Trzeciego Świata. Niedawno napisał książkę pod tytułem *Iluzja islamskiego zagrożenia*. Kiedy pojawiał się w telewizji lub był cytowany w prasie, określano go jako eksperta do spraw islamskich, a on nie lubił tej etykietki, ponieważ, jak powiedział Sammar, tego typu monolit nie mógłby istnieć. Sammar pracowała jako tłumaczka na wydziale Rae. Była zaangażowana w kilka projektów jednocześnie, zajmując się tekstami historycznymi, artykułami z arabskich gazet, a teraz jeszcze politycznym manifestem, który dał jej Rae. Al-Nidaa była to grupa ekstremistów z południowego Egiptu. Dokument napisano ręcznie i skserowano, pełno w nim było błędów ortograficznych, a odbitki były marne. Widniały na nim plamy z herbaty i czegoś, co Sammar uznała za resztki pasty z fasoli z oliwą. Poprzedniego dnia pracowała do późna, tłumacząc arabską retorykę na angielski, wyobrażając sobie, że czuje zapach fasoli gotowanej w sposób, który znała z dawnych czasów, z kminkiem i oliwą z oliwek, i przez cały czas starała się nie myśleć za dużo o jutrzejszym spotkaniu, nie wyolbrzymiać jego znaczenia.

Kiedy tak siedzieli otoczeni kaktusami, Rae zapytał:

– Tariq? – z naciskiem na „q". Odpowiedziała:

– Tak, pisane przez *qaf*, ale w domu wymawiamy *qaf* jak *g*.

Pokiwał głową, znał litery arabskiego alfabetu, mieszkał w jej części świata. Rae wyglądał tak, że łatwo byłoby go wziąć za Turka albo Persa, bo miał tak ciemną skórę. Kiedyś powiedział jej, że w Maroku może poruszać się jak w przebraniu, nikt nie domyślał się, że jest Szkotem, dopóki się nie odezwał i nie zdradził go akcent. Tutaj, jej zdaniem, odstawał od innych, nie tylko z powodu wyglądu, ale też manier. Tych samych manier, które pozwalały jej z nim rozmawiać, które po raz pierwszy od lat sprawiły, że świat ożył. Kiedy widziała się z nim poprzednim razem, wróciła do domu chora: powieki ciężkie jak monety, w głowie młoty, najsłabszy promień światła sprawiał jej oczom dotkliwy ból. Kiedy straciła świadomość, a potem ocknęła się, czując się promienna i lekka, pomyślała, że musiała przeżyć coś w rodzaju ataku epilepsji.

– Matka Tariqa, moja ciotka, nazywa się Mahasen – mówiła, zastanawiając się, którą część opowieści złagodzić, ominąć. Ile prawdy przełknie, zanim w jego oczach pojawi się zdumienie? Nigdy przedtem nie powiedziała niczego, co go zdziwiło. I chciała, żeby tak pozostało. W tym kraju, kiedy rozmawiała z ludźmi, podchodzili do niej z rezerwą, ostrożnie, jakby w każdej chwili mogła powiedzieć coś niewłaściwego, żenującego. On taki nie był. Wydawało się, że rozumie, nie we współczesny, świadomie nieoceniający sposób, ale tak, jakby mówił: „Mnie też się to przydarzyło".

Kiedy gotowała kurczaka, na powierzchni wywaru tworzyła się piana, usuwała ją łyżką. To był ziarnisty brud w kolorze orzechów ziemnych, szumowiny z kurczaka, których lepiej nie jeść. We wnętrzu Sammar też była taka piana, piana, która mogłaby się wytworzyć, gdyby zaczęła mówić. Wtedy on by ją zauważył i być może odszedł, podczas gdy ona chciała, żeby ją usunął, tak by mogła być czysta. Uważała, że jemu przyszłoby to z łatwością, niczym rozwiązanie kokardy.

Opowiedz mu, powtarzała sobie, opowiedz o Mahasen, Tariqu i Hanan. Matka, syn, córka... Opowiedz mu, jak odrzuciłaś własną rodzinę i przywiązałaś się do ich trojga. Uczyniłaś z siebie dar, dziecko do ukształtowania. Ich dom... wyobrażałaś sobie, że kiedyś w nim zamieszkasz. Przed domem był plac. W czasie deszczu wszystko nieruchomiało, a plac przybierał barwę księżyca. Rower Tariqa, pokój Tariqa, śpiewanie Tariqa do niewidzialnych mikrofonów, niewidzialnych gitar i niewidzialnej perkusji. Posłuszna siostrzenica, pozwalająca Mahasen decydować, jak ma się ubierać, jak układać włosy. Uszczęśliwiało cię to, dawało zadowolenie w oczekiwaniu na dzień, w którym zabierzesz jej jedynego syna. „Dbaj o Tariqa" - wyszeptała ci do ucha, kiedy się żegnałyście. A ty przywiozłaś go jej z powrotem - owiniętego całunem, w brzuchu samolotu.

- Moja ciotka jest silną kobietą - powiedziała Sammar. - Właściwie przywódczynią. Teraz opiekuje się moim synem. Nie widziałam ich od czterech lat.

Oddała dziecko Mahasen i to nie znaczyło nic, zupełnie nic, jakby nigdy nie stanowił cząstki jej samej, zawsze obecny, bez względu na to, dokąd szła. Nie była w stanie mu matkować. Część jej, która była jego matką, zniknęła. Piana, brzydka piana. Powiedziała do syna: „Wolałabym, żebyś to był ty. Nienawidzę cię. Nienawidzę". W tym samym samolocie, wiozącym śmierć, on chciał się bawić, dreptać wzdłuż rzędów foteli, cały w uśmiechach, niebojący się nieznajomych, jak ojciec. Domagał się jedzenia, był zachłanny na jedzenie. Siedząc na jej kolanach, chwytał bułki, rozmazywał masło, oblewał sokiem jej ubranie. Pełen życia, mówili o nim, pełen życia. Kiedy nikt nie patrzył, mocno go szczypała. On odpłacał jej, kopiąc. Przewinęła go w łazience, kręcącego się na wszystkie strony, sięgającego do przycisku wzywającego stewardesę. Przestań, przestań. Dziecko nie dawało jej spokoju, nie pozwalało jej się zapaść, tak jak chciała się zapaść, zgiąć wpół z bólu. Domagał się jej całej.

- Tariq tutaj studiował. Przyjechaliśmy tu po ślubie. Studiował medycynę, a mieszkaliśmy niedaleko Foresterhill. Pewnego dnia doszło do wypadku samochodowego i zabrali go do szpitala, kilku lekarzy, którzy mieli dyżur, znało go. Byli dla mnie bardzo dobrzy. Zadzwonili do Ethnic Minority... - przerwała.

Do pracownicy lub koordynatorki... nie miała pewności, kim była ta kobieta. Rae wzruszył ramionami, to nie miało znaczenia. Wytarł twarz wierzchem dłoni, przejechał ręką po brodzie, a potem ku górze, ściskając palcami skronie.

Koordynatorka była energiczną kobietą z kręconymi włosami. W surowych do białości chwilach niedowierzania posadziła sobie rozbiegane, ciekawskie dziecko na biodrze i kupiła mu maltesersy w automacie z przekąskami. „Ten jest dla ciebie, mama" - powiedział z zębami umazanymi roztopionym brązem. Uniósł cukierek do jej zaciśniętych ust, wydając zachęcające odgłosy, jak ona, kiedy próbowała go nakarmić. „Nie, nie teraz, to dla ciebie, wszystkie są dla ciebie". Widziała, jak ta kobieta rozmawia przez telefon, gestykuluje. Dziecko piszczało rozzłoszczone, tupało, przyciskając czekoladę do jej ust. Wbrew własnej woli wgryzła się w mdławą słodycz, smak miodu i łez. „Ta kobieta zadzwoniła do meczetu i ktoś stamtąd przyszedł, żeby go... żeby go umyć".

Minął cały tydzień, zanim pochowała go w afrykańskiej ziemi. Aż tyle trwało zaaranżowanie wszystkiego za pośrednictwem ambasady w Londynie: kwarantanna, lot. Ludzie jej pomogli, przejęli kontrolę. Nieznajomi, kobiety, których imiona ciągle myliła, zapełniły mieszkanie, gotowały dla niej i dla siebie, pilnowały biegającego dziecka, żeby mogła płakać. Modliły się, recytowały Koran, spały na kanapie i na podłodze. Nie zostawiły jej samej, porzuconej. Poruszała się między nimi oszołomiona, dziękując im, pełna pokory, gdyż była świadoma, że są silniejsze od niej, bardziej szczodre, chociaż ona uważała, że jest lepiej wykształcona i ubrana. Głowę okrywała włoskim jedwabiem, ramiona tropikalnymi kolorami. Chciała wyglądać tak elegancko jak Benazir Bhutto, tak fascynująco jak afgańska księżniczka, którą widziała raz w telewizji, ubraną w hidżab córkę wygnanego z kraju przywódcy mudżahedinów. A teraz obecność tych kobiet utrzymywała ją przy zdrowych zmysłach, podtrzymywała. Chodziła między nimi, dziękując im, pełna pokory, gdyż była świadoma, że nie robią tego dla niej ani dla Tariqa, ale tylko dlatego, że wierzą, iż tak należy postępować.

Wokół biegały ich dzieci, a wśród nich jej syn, zachwycony ich towarzystwem, podekscytowany obecnością tak wielu osób. Biedna sierota, niecałe dwa latka, on nie rozumie, mówiły kobiety, kiedy przeskakiwał między nimi z samochodzikami w obu rękach, piszcząc imiona nowych przyjaciół. Jednak Sammar wydawało się to okrutne i szokujące, że nie zatrzyma się ani nie zwolni nawet na chwilę, że chce się bawić, jeść i być tulonym do snu z takim samym zapałem.

Mokre ubrania Tariqa i jej leżały w pralce, pomiędzy cyklem wirowania a suszenia.

Kiedy wyschły, włożyła je z innymi jego rzeczami do czarnego worka na śmieci. Pakowanie i rozdawanie dobytku. Zapełniała jedną czarną torbę za drugą. Ewakuacja. Darcie listów, wyrzucanie czasopism, gorączkowe rozmontowywanie życia, jakie prowadzili, domu, jaki stworzyli. Tylko Allah jest wieczny, tylko Allah jest wieczny... Zdjęcia, książki, ręczniki, pościel. Zedrzeć i wrzucić do czarnej torby. Tymczasowe, to życie jest tymczasowe, ulotne. Dlaczego tak trudno pojąć tę lekcję? Długopisy, buty, latarka, grzebień. Fiszki, których używał do nauki. Czy mogłabyś zabrać te worki do meczetu, coś może się komuś przydać... Para butów, prawie nowy płaszcz Tariqa. Magnetofon, mały dywan... Zedrzeć, oddać, spakować. Wracamy do domu, tutaj jesteśmy skończeni, wracamy do piasku Afryki, rozpuścić się w piasku Afryki...

Jak zmusiła się, żeby zadzwonić do Mahasen? Żeby być zwiastunką najgorszych wieści? A telefon Mahasen nie działał. Musiał to być ten u sąsiadów i Mahasen biegnąca, zdyszana, w tobe* narzuconym na nocną koszulę, pojedynczy wałek sterczący na głowie jak fioletowy czub. Zawsze tak wyglądała w domu, z tym jednym fioletowym wałkiem we włosach. Nawet w nim spała, tak że kiedy wychodziła, grzywka wysuwała się twarzowo spod tobe.

„Kocham twoją matkę bardziej niż ciebie" – droczyła się z nim, obejmując ciotkę, całując w policzki, kładąc głowę na jej ramieniu. „Idź sobie, Tariq, chcemy porozmawiać" – mówiła, śmiejąc się. „Oplotkujemy cię – żartowała Mahasen. – Na drobne kawałki". Słowo „plotka" oznacza też cięcie.

To była Mahasen, która teraz krzywiła się, wymawiając imię Sammar. „Tej głupiej dziewczyny".

---

* Tobe – tradycyjny strój kobiet sudańskich.

2

Euphorbia herimentiana, Cereus peruvianus, Hoya carnosa – Rae czytał na głos nazwy kaktusów. Słowa, których Sammar nie potrafiła wymówić. „*Cleistocactus reae*, zasadzony przez Silvanę Suarez, Miss Świata tysiąc dziewięćset siedemdziesiątego dziewiątego roku. Serio?" – Skrzywił się. Wywołało to uśmiech na twarzy Sammar. Drugi raz widziała go poza miejscem pracy i wciąż było to dziwne uczucie. Nowości i szczęścia, jak wtedy, gdy widzi się pierwsze kroki dziecka.

Pierwszy raz był w sobotę, kiedy poszła z Yasmin do biblioteki publicznej. Yasmin była sekretarką Rae. Biuro jej i Rae było oddzielone szklanymi drzwiami tak, że kiedy Sammar przychodziła się z nim zobaczyć, rozmawiając z nim, widziała, jak Yasmin z zapałem pisze na komputerze, z twarzą zasłoniętą prostymi czarnymi włosami. Rodzice Yasmin pochodzili z Pakistanu, ale ona urodziła się w Wielkiej Brytanii i przez całe życie mieszkała w różnych jej częściach. Miała w zwyczaju wygłaszać ogólne stwierdzenia, zaczynając od „my", gdzie „my" oznaczało cały Trzeci Świat i jego mieszkańców. Mawiała więc: „My nie jesteśmy tacy jak oni" albo „My utrzymujemy bliskie związki z rodziną, nie tak jak oni". Na wydziale były jeszcze dwie sekretarki, które pracowały w jednym pokoju z Yasmin, wesołe, pachnące kawą panie z siwiejącymi włosami, w plisowanych spódnicach. Gdy jedna z nich poklepała się kiedyś po fałdach na brzuchu i poskarżyła, że nie potrafi utrzymać żadnej diety, Yasmin natychmiast zauważyła: „Nasze dzieci umierają z głodu, podczas gdy bogacze liczą kalorie!".

Mąż Yasmin, Nazim, pracował na platformach wiertniczych na morzu. Kiedy go nie było, często umawiała się z Sammar w weekendy. Yasmin miała samochód, a Sammar lubiła jeździć po okolicy, słuchać radia, zwiedzać części miasta, których wcześniej nie widziała. Żałowała, że nie ma samochodu, by móc uciec przed pogodą.

W tamtą sobotę poszły do biblioteki, ponieważ Yasmin, w dziesiątym tygodniu ciąży, chciała przejrzeć książki o dzieciach. Były tam półki zapełnione pozycjami na temat ciąży, porodu, karmienia piersią. Biblioteka była ciepła, pełna ludzi, pełna książek. Były tam książki o cesarskim cięciu, aborcjach, bezpłodności i poronieniu. Sammar raz poroniła, rok po narodzinach syna. Pamięta tę noc, brzemienną w skutki i kulminacyjną, która nadeszła po wielu niespokojnych dniach, dniach świadomości, że ciąża nie rozwija się prawidłowo, że coś jest nie tak. Pamięta, że Tariq był spokojny, ciepły i wiedział, co robić. Pamięta, jak na czworakach zmywał podłogę w łazience, jej macicę, która się rozpadła.

Była między nimi wdzięczność. Wdzięczność amortyzowała kłótnie, te małostkowe i te poważne. Wyrównywała uczuciowe szczeliny. Czasem ta wdzięczność przychodziła do niej w transach i snach. Snach bez scenografii i fabuły, samo uczucie, kwintesencja.

– Mogę wziąć tylko sześć książek – powiedziała Yasmin. – Gdybyś miała kartę, mogłabym wypożyczyć więcej na twoją. To jest pomysł. Załóżmy ci kartę.

– Nie, innym razem. – Sammar nie lubiła postępować impulsywnie, bez zastanowienia. Popatrzyła na kolejki ciągnące się od punktu wypożyczania, bibliotekarzy przesuwających czytniki nad kodami kreskowymi książek. To budziło jej lęk. Starała się mówić przekonująco: – Nigdy nie uda ci się przeczytać więcej niż sześć książek w miesiącu. Sześć wystarczy.

Jednak Yasmin nalegała, wygłaszając kazanie na temat przydatności karty bibliotecznej.

– Płacisz podatek, prawda? – I przytoczyła opowieść o tym, jak pewna Nigeryjka z trójką dzieci, która mieszkała w Aberdeen, dopiero po siedmiu latach dowiedziała się, że przysługuje jej zasiłek na dzieci. – Nikt jej nie powiedział. – Głos Yasmin przeszedł w piskliwy szept.

Dwanaście książek o ciąży znalazło drogę do punktu wypożyczania. Yasmin wszystko załatwiła. Sammar czuła się jak bezradna imigrantka, która nie mówi po angielsku. Wyobraziła sobie, jak angielskie słowa unoszą się z jej mózgu, wyparowują, tworząc lekką mgiełkę. To była jedna z rzeczy, jakie Mahasen powiedziała jej tego wieczoru, kiedy się pokłóciły, trzęsąc się ze złości. Tego wieczoru, kiedy Sammar poprosiła ją o pozwolenie na zawarcie małżeństwa z Ahmadem Alim Yasseenem. „Wykształcona dziewczyna, jak ty, znająca angielski... możesz utrzymać siebie i syna, nie potrzebujesz małżeństwa. Do czego ci potrzebne? Zaczął ze mną rozmowę na ten temat, a ja go uciszyłam. Zawstydziłam go, starego głupca". „Jest religijny - wydusiła Sammar. - Czuje się zobowiązany wobec wdów...". „Może wziąć swoją religijność i zbudować meczet, ale niech trzyma się od nas z daleka. W przeszłości wdowy potrzebowały opieki, teraz życie jest inne". Chciała jakoś na to zareagować, ale słowa utknęły jej w gardle jak ciasto.

– Książka Rae - powiedziała Yasmin, kiedy wychodziły – widziałaś ją? Jestem pewna, że ją tu mają. Nikt nie czyta takich rzeczy.

Z dwunastoma książkami wróciły do części historycznej i zaczęły szukać, aż wreszcie znalazły *Iluzję islamskiego zagrożenia* na piętrze, sklasyfikowaną jako „polityka". Z tyłu okładki Sammar przeczytała napisane kursywą recenzje: *Rzuca nowe światło na burzliwą sytuację na Bliskim Wschodzie...* „Independent on Sunday".

Isles stawia sobie za cel udowodnienie, że niebezpieczeństwo przejęcia Bliskiego Wschodu przez islam jest przesadzone... Jego argumenty są śmiałe, jego spostrzeżenia prowokacyjne... - „Scotsman".

Rozmawiały o nim, wychodząc z biblioteki, ich głosy przebijały się przez szum ulicy i zimny wiatr. Sammar chciała dowiedzieć się czegoś o jego byłych żonach. Pierwsza, powiedziała Yasmin, jest teraz mężatką i mieszka w Walii. Jest częścią odległej przeszłości i Yasmin nigdy jej nie poznała. Druga, matka jego córki, która uczy się w szkole z internatem w Edynburgu, pracuje dla Światowej Organizacji Zdrowia w Genewie. Kiedyś mieszkali w Cults, w ładnym dużym domu. Potem on przeniósł się do mieszkania w mieście.

Yasmin prowadziła chaotycznie, książki jeździły po tylnym siedzeniu. Zaparkowała przy trzypasmowej ulicy, w części miasta nieznanej Sammar.

– Mieszka tutaj – oznajmiła. – Często tu bywam z Nazimem. Dobrze, że jesteś ze mną, mogę mu dać faksy, które wczoraj do niego przyszły, gdy już poszedł do domu. Czeka na informacje o programie antyterrorystycznym, które powinny nadejść w każdej chwili. Mają go zatrudnić jako konsultanta.

– Nie możemy tego zrobić, to nie na miejscu – powiedziała Sammar. – Oddaj mu je w poniedziałek... – Ale Yasmin już odpinała pas, wyłączała klimatyzację, zaciągała ręczny hamulec.

– Jesteśmy razem – odparła. – To nie jest tak, że któraś z nas przyszła tu sama.

– Zresztą może go nie być – dodała Sammar.

Yasmin wysiadła z samochodu, Sammar wciąż była przypięta pasem. Robiło się ciemno, chmury były fioletowe, jakby przyklejone do nieba, słońce wędrowało gdzieś daleko.

Kiedy Rae otworzył drzwi, o kolana Sammar otarło się futro. Był to duży czarny kot, który wszedł do budynku razem z nimi. Sammar zachowywała ostrożność wobec kotów. Kiedy była mała, bezpańskie koty wkradały się do domu i straszyły ją, wyskakując z szaf albo spod schodów. To były dzikie koty, którym żebra wystawały spod matowej brudnej sierści. Niektóre zamiast oka miały czarną dziurę, amputowane ogony albo kulały. Kiedy krzyczała, one miotały się po pokoju, desperacko szukając wyjścia. Wydawało jej się, że wspinają się na ściany, zdrapują farbę, krzyczą równie szaleńczo jak ona, chcąc wydostać się z pułapki, do której dobrowolnie weszły, i wrócić do znajomego życia na zewnątrz.

Tariq opowiadał historię o bezpańskich kotach, która krążyła po szpitalu. „Ich ulubiony posiłek - mówił - pojawia się za każdym razem, kiedy rodzi się dziecko. Czekają przy koszach na śmieci na zrzut soczystego łożyska, trzeba zobaczyć, jak o nie walczą!". Lubił drażnić się z nią, opowiadając krwawe historie ze szpitala. Śmiał się z jej miny.

Kotka Rae był powolna i zadbana. Chodziła po pokoju, lśniąca i spokojna, podczas gdy on witał się z Yasmin i Sammar i zapraszał je do środka.

– Co stało się z twoimi włosami! – tak brzmiały pierwsze słowa Yasmin. Obciął je na krótko i sterczały jak kolce. Roześmiał się i poklepał po głowie ze słowami:

– Chyba fryzjer był tym razem nadgorliwy.

Wyglądał inaczej niż w pracy: bez krawata, nieogolony. Sammar wydało się, że mieszkanie nie jest zbyt duże. Pokój, w którym siedziały, przylegał do kuchni. Spore wykuszowe okna wychodziły na ulicę, a po drugiej stronie pokoju, nad kuchennym zlewem, było drugie okno z żółtą roletą. Pod oknem stał rząd książek, a na podłodze leżał weekendowy dodatek do gazety.

Kot wdrapał się na kolana Sammar i usiadł. Nie wiedziała, co zrobić, nigdy wcześniej nie widziała kota z tak bliska, nie widziała żółtych szparek jego tęczówek, połysku idealnie czarnej sierści. Głaskała go nieporadnie i słuchała, jak Yasmin rozmawia z Rae o faksach, pogodzie, nagłówkach w gazecie, którą Rae podniósł z podłogi, poskładał i odłożył.

– Nie znoszę całego tego szumu wokół rodziny królewskiej – mówiła Yasmin. „Nie znoszę" było innym zwrotem, którego Yasmin często używała. „Nie znoszę tej gównianej, angielskiej pogody".

Rae poszedł zrobić herbatę. Kotka zeskoczyła z kolan Sammar, która zaczęła przyglądać się dywanom na ścianach, glinianym doniczkom na podłodze. Na półce z książkami stała fotografia córki Rae. Wyglądała na dziesięć albo jedenaście lat i siedziała na koniu. Miała buty do konnej jazdy i czapkę z paskiem zapinanym pod brodą. Sammar wyobraziła sobie matkę dziecka z takimi samymi długimi brązowymi włosami, też odważną, pracującą dla WHO. Ważna praca, użyteczna, niosąca ludziom pomoc.

Pijąc herbatę, pomyślała, że jest w prawdziwym domu. Od dawna nie była w prawdziwym domu. Mieszkała w pokoju o nagich ścianach, bez żadnych rzeczy osobistych, bez fotografii, bez książek, jak w szpitalnej sali. Wszystko rozdała tydzień przed tym, jak zawiozła Tariqa do domu. Wszystko zdarła i rozdała, nie wyobrażając sobie, że tu wróci, nie wyobrażając sobie, że pokłóci się z Mahasen. A kiedy wróciła, nie miała ani serca, ani środków, żeby kupować rzeczy. Zapłacić czynsz za pokój i tyle. Jeden talerz, jedna łyżka, otwieracz do konserw, dwa rondle, czajnik, kubek. Nie dbała o to, nie miała z tym problemu. Cztery lata choroby w szpitalu, który sama sobie urządziła. Chora, zarażona biernością, siedziała bezczynnie. Wir żalu wciągał czas. Godziny umykały niczym minuty. Dni, kiedy jedyne, do czego była w stanie się zmusić, to odmówienie pięciu modlitw. Były wyzwaniem, ale też jedynym kontaktem z normalnością, bez nich by się rozpadła, straciła świadomość przechodzenia dnia w noc.

Smakowała herbatę, którą przygotował Rae, i słuchała jedynych dwóch osób, które naprawdę znała w tym mieście. Yasmin, jej twarz nieco mizerna w pierwszych tygodniach ciąży, ciemne cienie pod sennymi oczami. Ale to było naturalne, za kilka miesięcy będzie duża i zdrowa, zaokrąglona w ciążowych ubraniach. A Rae - dziwnie było widzieć ludzi, których znała tylko z pracy, w ich własnych domach. W weekendy się nie goli.

W jednym z czasopism rozłożonych na podłodze widniały fotografie różnych map świata. Artykuł opisywał tradycyjne mapy oraz to, jak często pokazują kontynenty w niewłaściwych proporcjach: Europa większa niż Ameryka Południowa, Ameryka Północna większa niż Afryka, Grenlandia większa niż Chiny, podczas gdy w rzeczywistości jest odwrotnie. Na najnowszej mapie, pokazującej realne proporcje, Afryka była masywną wydłużoną plamą żółci, Wielka Brytania kropką różu bez znaczenia. Gdzieś pośród tej wielkiej żółci, niedaleko błękitu znaczącego nurt Nilu, było życie, z którego została wygnana.

Przyklękła i usiadła na piętach, żeby się lepiej przyjrzeć. Znajomo brzmiące nazwy miast, czarna czcionka na tle żółci poruszyły ją. Kassala, Darfur, Sennar. Kadugli, Karima, Wau. W jej wnętrzu był ich kurz i mizerność. Słońce i bieda. Głosy tych, którzy wytrzymywali, bo tak niewiele chcieli od życia. Na następnej stronie była reklama materiałów edukacyjnych. Uczennice z Somalii, uśmiechnięte, ramię w ramię. Białe koszule z krótkimi rękawami, a na to granatowe fartuszki w białe paski. Kiedyś też tak się ubierała, kiedyś była taką twarzą. Włosy starannie uczesane, białe skarpetki i biały pasek. Pamięta, jak szła z koleżankami, z palcami zatkniętymi za ich pasek. Pociągając. „Szybciej, w stołówce zabraknie bezianous". Butelki miały dookoła małe zgrubienia, ładne, kształtne zgrubienia. Bezianous był różowy i słodki, nigdy dość zimny. Wygładź piasek pod stopą, udepcz, aż będzie płaski, zupełnie płaski. Trzymaj pustą butelkę, nie oszukuj i ugnij kolana, upuść ją. Jeśli stoi, to co? Twoje życzenie się spełni albo on też cię kocha.

Kiedy podniosła wzrok, Rae się jej przyglądał z wyrazem twarzy przypominającym życzliwość. Ośmielona, odezwała się:

– Nosiłam taki mundurek w szkole średniej.

– Nam kazali nosić krótkie spodenki – powiedział. – Nawet zimą. To było okropne, droga do szkoły w chłodzie. Cieszyłem się, kiedy mnie wyrzucili.

– Wyrzucili cię ze szkoły? – zdziwiła się Yasmin. – Co strasznego przeskrobałeś?

– Napisałem wypracowanie. – Śmiał się, więc Sammar nie wiedziała, czy żartuje, czy nie. – Napisałem wypracowanie zatytułowane *Islam jest lepszy od chrześcijaństwa*.

Yasmin zaczęła się śmiać.

– Kłamca, nie wierzę ci, zmyślasz.

– Nie, to prawda. To było w latach pięćdziesiątych. Pewnie i tak chcieli mnie wyrzucić, a to przepełniło czarę.

– Dlaczego napisałeś coś takiego?

– Miałem wuja, który podczas drugiej wojny światowej pojechał z wojskiem do Egiptu. Kiedy tam dotarł, zainteresował się sufizmem, przeszedł na islam i odszedł z armii. Jak się domyślacie, został uznany za zdrajcę, uciekiniera. Moja matka mówiła ludziom, że zaginął w akcji. Powtarzała to, aż ona sama i reszta rodziny w to uwierzyła. Wuj David napisał do niej i do mojej matki, wyjaśniając, dlaczego postąpił tak, a nie inaczej.

Sammar zamknęła czasopismo. Rae odchylił się na krześle. Odkaszlnął i wydmuchał nos w dużą niebieską chustkę. Sprawiał wrażenie, jakby często opowiadał tę historię i chciał ją opowiedzieć jeszcze raz.

– Czytałem ten list. Wydaje mi się, że wtedy po raz pierwszy zetknąłem się ze słowem „islam" i rozumiałem, o co chodzi. Oczywiście zdawałem sobie sprawę, że mój wuj zrobił coś skandalicznego, i byłem ciekawy. Miałem też do napisania wypracowanie. Żałuję, że nie mam już tego listu lub chociaż eseju. Ponieważ – zrobił przerwę – przepisałem z listu całe akapity. Chociaż tytuł był mój. Rzecz jasna, David nigdy nie napisał, że islam jest „lepszy" od chrześcijaństwa. Nie użył tego słowa. Zamiast tego mówił na przykład, że to krok do przodu na drodze w takim sensie, w jakim chrześcijaństwo podążało za judaizmem. Stwierdził, że prorok Mahomet był ostatnim z linii proroków zaczynającej się od Adama, przez Abrahama, do Mojżesza i Jezusa. Wszyscy byli muzułmanami, Jezus był muzułmaninem, to znaczy oddał się Bogu. To się nie spodobało ani w liście, ani w wypracowaniu – zakończył Rae ze śmiechem.

– A co stało się z twoim wujem? – zapytała Sammar. – Czy kiedyś wrócił?

– Nie mógł, nawet gdyby chciał. Zostałby aresztowany. Dezercja, zdrada to poważne oskarżenia. Przez kilka lat pisywał do mojej matki. Zmienił nazwisko, ożenił się z Egipcjanką i miał dzieci. Mam egipskich kuzynów, krewnych w Afryce. Ogromnie mnie to cieszyło. Uważałem, że to bardzo romantyczne. Ale moja matka nigdy na te listy nie odpisywała albo wysyłała ostre w tonie, bo przestał pisać. Pojechałem tam i szukałem go przez pięć lat, od tysiąc dziewięćset siedemdziesiątego szóstego do tysiąc dziewięćset osiemdziesiątego pierwszego roku, kiedy uczyłem w Kairze na AUC, ale nie udało mi się go odnaleźć. Chętnie znów bym się tam wybrał, żeby go poszukać.

Kiedy skończył mówić, zapadła cisza. Sammar miała poczucie, jakby siedziały z Yasmin w jego mieszkaniu bardzo długo. Popołudnie w bibliotece wydawało się odległe, z innego dnia. Ostatnie krople herbaty w jej kubku wyglądały jak miód. Wtedy Yasmin zaczęła mówić o nietolerancji, a Sammar wstała, żeby umyć kubki w kuchni. „To zajmie tylko chwilę" - powiedziała, kiedy Rae poprosił, żeby je zostawiła i się nie przejmowała. Ale ona nie śpieszyła się i zaczęła się rozglądać. Na kuchennym blacie stała butelka Safeway Olive Oil, otwarta paczka rozpuszczalnej aspiryny, kolejne zdjęcia córki, młodszej i uśmiechniętej, przyczepione były do drzwi lodówki. Na ścianie widniała grafika przedstawiająca meczet Uług Bega w Samarkandzie, z frontem ozdobionym zawiłymi wzorami, typowymi dla sztuki islamskiej. Podpis informował, że został zbudowany w roku 1418 i pełnił funkcję zarówno świątyni, jak i szkoły, w której uczono nie tylko religii, ale też astronomii, matematyki i filozofii. Sammar podniosła roletę w oknie i zobaczyła w ciemnościach ogrodową szopę, światła w innych budynkach, aurę ludzkiej egzystencji. Ciepła woda, piana pachnąca cytryną, głos Rae.

– ...czasami tutejsze sądy wykazują się wyczuciem kulturowym – mówił – a każda sprawa staje się precedensem, za którym mogą iść kolejne. W jednej ze spraw sędzia Sądu Najwyższego przyznał odszkodowanie rozwiedzionej Azjatce, tysiące funtów, na niekorzyść jej męża. Ten rzucił oszczerstwo, sugerując, że nie była dziewicą, kiedy się z nią ożenił. Podstawą sprawy był fakt, iż tego typu zarzut jest w jej społeczności bardzo poważny.

– Tak, my cenimy dziewictwo – przyznała Yasmin – i czystość. Trudno uwierzyć, że brytyjski sędzia i ława przysięgłych potrafiła to zrozumieć, a tym bardziej poprzeć.

– Ludzie to rozumieją, ale w kontekście własnego miejsca, własnej części świata. Tutaj jednak to inna sprawa. Wydaje mi się, iż panuje powszechna zgoda, że kiedy wejdziesz między wrony, musisz krakać, jak i one.

– Typowe imperialistyczne myślenie – prychnęła Yasmin.

– Masz rację, ale te zmiany zachodzą powoli. Nie sądzę, żeby coś zmieniło się za naszego życia.

– Za twojego życia – sprostowała Yasmine. – My jesteśmy młode, prawda Sammar?

Sammar się odwróciła. Miała mokre ręce i trzymała je nad zlewem.

– Jesteś młodsza ode mnie – powiedziała do Yasmin.

– W przyszłym tygodniu kończę trzydzieści lat – powiedziała Yasmin. – Moje urodziny, a Nazima jak zwykle nie będzie.

– Wciąż jest na morzu? – zapytał Rae.

– Biedactwo marznie u wybrzeży Szetlandów. Ale bez niego jest tak spokojnie.

– Na pewno tak nie myślisz, Yasmin – powiedziała Sammar. Zakręciła wodę i wytarła zlew ścierką. Wokół zatyczki i kurków widać było plamy.

– Czechow napisał – zaczął Rae – że kobieta marnieje, pozbawiona męskiego towarzystwa, zaś mężczyzna głupieje, pozbawiony towarzystwa kobiety.

– Bzdura – mruknęła Yasmin. – Ja nigdy nie marnieję.

Sammar rozejrzała się za ręcznikiem do wytarcia rąk. Na tym, który znalazła, wiszącym na oparciu krzesła, był delfin. Kot gdzieś przepadł. Wyszedł na dwór i na nie też już był czas.

– Powinnyśmy iść, prawda? – zwróciła się do Yasmin. – Robi się późno.

– Jestem taka zmęczona, że nie mogę się ruszyć – jęknęła Yasmin, a Sammar musiała wziąć ją za ręce i podciągnąć do góry.

– Co to będzie za kilka miesięcy? – spytała Sammar, drocząc się z Yasmin, i śmiały się, kiedy Rae otwierał im drzwi wyjściowe i szedł z nimi po schodach. Na dworze Sammar miała halucynacje, świat zawirował. Dom zawitał tutaj. Pojawił się wraz ze słabo oświetlonymi uliczkami, niebem i poczuciem swojskości, i trwał specjalnie dla niej. Zobaczyła bezchmurne niebo pełne gwiazd, wyobraziła sobie upalną noc, gdy na dworze jest cieplej niż w domu. Czuła zapach kurzu i słyszała szczekanie bezpańskich psów wśród ulicznych gruzów i wybojów. Zadźwięczał rowerowy dzwonek, rechotały żaby, muezin odkaszlnął do mikrofonu i rozpoczął azan* przed modlitwą *Isha*. Lecz to była Szkocja i rzeczywistość pozostawiła w niej uczucie otępienia, niepewności. Wcześniej też się to zdarzało, ale nie trwało tak długo, nie było tak głębokie. Czasem cienie w ciemnym pokoju przywodziły jej na myśl przerwy w dostawie prądu w domu, bulgotanie wody w rurach centralnego ogrzewania brała za rozlegający się daleko azan. Jednak nigdy przedtem nie weszła w sam środek wizji, dom nigdy wcześniej się nie pojawił. Minęła dobra chwila, zanim rozpoznała doskonałą schludność budynków i błyszczącą ulicę. Minęła dobra chwila, zanim ogrzewanie w samochodzie Yasmin rozwiało mgłę ich oddechów osiadłą na szybach.

Jechały ulicami jasnymi od świateł latarni, pełnymi samochodów. Młodzi ludzie spacerowali po Union Street, jakby nie czuli chłodu. Sobotni wieczór, inny świat.

– Rae jest inny – powiedziała Sammar. Zabrzmiało to jak pytanie.

– W jakim sensie?

– Jest jakby znajomy, jak ludzie z kraju.

– Jest orientalistą. To ryzyko zawodowe.

Sammar nie lubiła słowa „orientalista". Orientaliści to byli źli ludzie, wypaczali wizerunek Arabów i islamu. Coś z historii czy literatury w szkole, nie mogła sobie przypomnieć. Może współcześni orientaliści są inni? Obrazy za-

* Azan – wezwanie wyznawców islamu do modlitwy wygłaszane z minaretu przez muezina pięć razy dziennie.

częły jej się zamazywać przed oczami. Była zmęczona i przygnębiona. Światła samochodów były zbyt jasne, tworzyły koła wściekle kreślone mieczami.

– Myślisz, że któregoś dnia mógłby się nawrócić? – Na asfalcie połyskiwały obrazy.

Yasmin prychnęła.

– To by było zawodowe samobójstwo.

– Dlaczego?

– Dlatego że potem nikt nie traktowałby go poważnie. Kim by się stał? Kolejnym byłym hipisem, który dołączył do jakiejś dziwnej sekty? Gorzej niż dziwnej sekty, bo religii terrorystów i fanatyków. Tak zostałoby to odebrane. Już i tak go krytykują: ci, którzy uważają go za zbyt liberalnego, ci którzy nawet oskarżają go o zdradę tylko dlatego, że mówi prawdę o innej kulturze.

– Zdradę czego?

– Zachodu. Wiesz, koncepcji, że Zachód jest najlepszy.

– Ale z ludźmi nigdy nie wiadomo – westchnęła Sammar. – Spójrz na jego wuja...

– Masz nadzieję, że nawróci się, żebyś mogła za niego wyjść?

– Nie bądź śmieszna, tak się tylko zastanawiam. – Wciągała i wypuszczała powietrze, jakby sprawiało jej to trudność. Oczy ją bolały, nos ją bolał. – Po prostu zastanawiałam się, bo wie tak dużo o islamie...

– To go denerwuje.

– Co go denerwuje?

– Oczekiwanie muzułmanów, że się nawróci, tylko dlatego, że tak dużo wie o islamie.

Dotarły do mieszkania Sammar. Z trudem otworzyła oczy, żeby włożyć klucz do zamka, światło było źródłem bólu. I migrena, ból dotkliwszy niż przy porodzie, w jej wnętrzu. Chciała uderzyć o coś głową, żeby się tego pozbyć. Sen, który tak łatwo przychodził w tym szpitalnym pokoju, warstwami i na całe godziny, teraz nie nadchodził. Cisza i brak bólu nie chciały się pojawić. *Ya Allah, Ya Arham El-Rahimeen*. Kiedy sen wreszcie spłynął, przybrał kształt rozpaczliwej nieświadomości. Obudziła się czysta, lekka, spokojna. Uznała, że to musiało być coś pomiędzy migreną a atakiem.

3

Po zimowych ogrodach przechadzali się już inni. Był późny poranek i rodziny nawoływały się, spacerując wśród kwiatów i roślin. Obok Sammar i Rae przebiegł chłopiec z czerwoną paczką czipsów w ręce i kurtką zawiązaną w pasie. Jej syn byłby w tym samym wieku co ten chłopiec. Już nie zaokrąglony jak dziecko, już potrafiący chodzić. Uczeń. Mahasen napisała do niej, że szkoły nie są już takie jak kiedyś, musisz przyjechać tu i go zabrać, tak będzie dla niego lepiej. List od ciotki przyszedł, kiedy miasto spowijała mgła (listonosz wciąż pokonywał swoją trasę, nie przejmując się ciemnościami). Minął rok, a Sammar wciąż była sparaliżowana, obojętna wobec syna. Piana, brzydka piana.

Nie potrafiła zapomnieć, co powiedziała jej ciotka w noc kłótni o Ahmada Ali Yasseena, starego przyjaciela rodziny. „Nie minęło jeszcze dziewięć miesięcy, a ty chcesz znowu wyjść za mąż... I to za kogo? Za półanalfabetę z dwiema żonami i dziećmi w twoim wieku. Nigdy się na coś takiego nie zgodzę. Z jakiej gliny jesteś ulepiona? Wyjaśnij mi.

Wyjaśnij, co twoim zdaniem zamierzasz zrobić...". Przez całe jej dzieciństwo 'Am Ahmad przyjeżdżał w odwiedziny z południa. Tuman kurzu za jego furgonetką marki Toyota, skrzynie z mango, włókna trzciny cukrowej. W jego śmiechu słychać było szczęście. Sammar zawsze pamiętała go jako roześmianego, z wyjątkiem czasu, kiedy płakał po Tariqu, z brzuchem trzęsącym się pod białą galabiją, tak samo jak wtedy, kiedy się śmiał. Doktor. Nazywał Tariqa „doktorem", nawet kiedy Tariq miał szesnaście lat i czekał na wyniki egzaminów.

Tariq, Rae spytał o Tariqa. W jego żyłach płynęła etiopska krew, widać ją było w miedzianym odcieniu skóry, kształcie nosa. Uczył się do egzaminów, tyle egzaminów, żeby zostać lekarzem. Tariq gryzmolący nuty na notatkach. Pojechali do Aberdeen na kolejne egzaminy. Część pierwsza, część druga. Egzaminy nie miały końca. Przeżywali szok kulturowy, po raz pierwszy byli sam na sam, tylko we dwoje. Bez Mahasen, bez Hanan. Nikogo w tym nowym mieście oprócz nich. Marzyli o tym, rozmawiali o tym, a mimo to, jak staruszkowie pamiętający odległą przeszłość dokładniej niż wydarzenia dnia poprzedniego, Sammar żyła z obrazem młodego Tariqa w głowie.

– Kiedy Tariq miał czternaście lat – powiedziała Rae – złamał nogę. Spadł z drabiny, próbując powiesić plakat w swoim pokoju. Drabina też się przewróciła. Narobiła okropnego hałasu, który obudził Mahasen z popołudniowej drzemki. Przybiegła do jego pokoju i stłukła go kapciem za nieuwagę i za to, że ją obudził. Śmiałam się z niego, nie mogłam się powstrzymać. Zasłaniałam usta, wiedząc, że nie powinnam się śmiać, kiedy dorośli się gniewają. Ale nie mogłam przestać. Dobrze, że nie słyszała mojego śmiechu, bo mnie też by się dostało.

Sammar zaczęła się śmiać w zimowym ogrodzie.

– Zawsze się śmieję – powiedziała – kiedy ludzie się przewracają, nie mogę się powstrzymać. – Rae też się roześmiał i stwierdził:

– Niezbyt wyrafinowane poczucie humoru.

Odpowiedziała:

– Nie, nie bardzo. – I mówiła dalej: – Jego ojciec musiał zabrać go do Niemiec na operację. Lekarze umieścili mu w łydce metalowe śruby. W dniu, kiedy wrócił, dom był pełen ludzi i paliły się wszystkie światła. Przywieźli z Niemiec mnóstwo pysznej czekolady. Mahasen schowała ją dla ważnych gości, a reszta dostała puszkę toffi Mackintosha, które już dawno straciły ważność. Tak je sprzedawali, importowane do sklepu bezcłowego, toffi popielatoszare, przyklejone do papierków. Tariq wrócił zmieniony, jakby nagle stał się starszy, chociaż nie było go tylko miesiąc. Miał nogę w gipsie i chodził o kulach, z którymi kuśtykałyśmy po domu na zmianę z Hanan. Napisałam na gipsie moje imię po arabsku i angielsku.

Kiedy byli młodzi, łatwo im było rozmawiać. Sytuacja się zmieniła, kiedy wyrośli z zimnych ogni i rowerów. A nawet, myślała czasem, sytuacja zmieniła się od czasu, kiedy złamał nogę. Gdy Hanan była z nimi, mogli rozmawiać we troje o filmach, które widzieli, albo o tym, kogo

Tariq spotkał w kolejce po benzynę. Jednak kiedy Hanan zostawiała ich samych, żeby przygotować tang albo odebrać telefon, zapadała między nimi niezręczna cisza. Rozmowa o niczym, kiedy słyszeli, jak ona miesza pomarańczowy proszek w szklankach, uderza pojemnikiem na lód o kuchenny zlew. „Jak się masz?" - „Dobrze, a ty?". Kiedy jego siostra wracała, wyglądali na winnych, jakby zrobili coś złego.

Nieśmiałość prześladowała ich przez lata. Drapała jak wełna. Sprawiała, że chcieli, żeby towarzyszyła im Hanan, dzięki czemu mogli rozmawiać, i chcieli, żeby jej nie było, żeby mogli zostać sami. W szkole Tariq posyłał jej liściki przez siostrę najlepszego przyjaciela, za plecami Hanan, chociaż chodziła do tej samej klasy. Ta zdrada wstrząsnęła nią bardziej niż słowa, które pisał. Cienkie papierki w jej dłoni ciążyły jak kamienie. Darła je i rozrzucała drobne kawałki w różnych miejscach, obawiając się, że ktoś je znajdzie. Lubiła rozmawiać z nim przez telefon, przez telefon było bezpiecznie. Przez telefon opowiadali sobie o powtarzających się koszmarach i szczęśliwych snach. Powiedział: „Pragnę ci coś wyznać, ale za bardzo się wstydzę".

Wyobrażała sobie, że chciała od życia czegoś prostego, niczego wielkiego, tylko żeby nadal mieszkać w tym samym miejscu, zostać drugą Mahasen, kiedy dorośnie. Urodzić dzieci, utyć, siedzieć z nogą założoną na nogę i narzekać z przyjaciółkami, które znała od zawsze, na okropne podwyżki, godziny, które Tariq musi spędzać w klinice. Jednak wydawało się, że ciągłość sama w sobie jest ambitna. Tariq został wyrwany z tego świata bez ostrzeżenia, bez choroby, jak mały włos usunięty pincetą z twarzy.

– Musisz mi o tym opowiedzieć – powiedziała do Rae, unosząc swoją teczkę. – Czy wszystkie te plotki na twój temat są prawdziwe?

– Jakie plotki?

– O tobie i terrorystach. Czy to wszystko jest ściśle tajne?

Roześmiał się i dotknął niebieskiej teczki.

– Najpierw powiedz mi, co o tym myślisz.

– To smutne – westchnęła.

– Smutne?

– Jest coś żałosnego w błędach ortograficznych, plamach na papierze, pomimo całej brawury. To są prawdy, ale oderwane, bez związku z rzeczywistością...

– Oni wszyscy są tacy.

– Odnosi się wrażenie, że tych ludzi to przerasta – ciągnęła. – Przerasta ich świadomość, że nic nie powinno być takie, jakie jest.

– Strzelają sobie w stopę. Szaria* nie uzasadnia żadnych ich działań, bez względu na to, jak bardzo starają się znaleźć usprawiedliwienie.

– Kiedy się z nimi spotkasz?

Pokręcił głową.

---

* Szaria (szariat) – prawo kierujące życiem wyznawców zarówno sunnickiej, jak i szyickiej odmiany islamu.

– Nie dostałem tej pracy, wybrali kogoś innego, bez wątpienia kogoś o poglądach łatwiejszych do przyjęcia.

– Przykro mi to słyszeć. – Żałowała, że wcześniej żartowała na ten temat.

– Mnie też jest przykro. Zima w Egipcie wydała mi się dobrym pomysłem.

Spojrzał w stronę okna. Za ogrodami zimowymi Sammar zobaczyła świat wyblakły od nieuniknionego deszczu, metaliczny błękit, przyćmioną zieleń. Trawniki bez ludzi pokryte suchymi liśćmi.

– Ale tak naprawdę to byłoby korzystne dla wydziału. Musimy udowodnić, że jesteśmy przydatni dla gospodarki albo rządu, żeby nadal nas finansowali.

Spojrzała na płyty na ziemi, sześciokąty oddzielone rzędami kamyków. Czyste, niezaśmiecone. Czy to Tariq zawsze rysował stopą na piasku? Czy ona? Bawiła się gałązkami, powyginanymi zakrętkami od butelek, kopała kamyczek, który odróżniał się od reszty dziwnym kształtem czy kolorem. A chcąc uniknąć wzroku Tariqa, obrywała małe owalne listki z łodyżek, a łodyżki wiązała w supełek, jedną po drugiej. Palcami rolowała płatki jaśminu na miazgę.

– Myślałem o tobie – powiedział Rae. – Dlatego chciałem, żebyś to przetłumaczyła. Potrzebują tłumacza. Chętnie cię zarekomenduję. To byłby krótkoterminowy kontrakt, nie dłużej niż na miesiąc. Potem może mogłabyś pojechać z Kairu do Chartumu z wizytą. Jak to daleko od Kairu?

– Dwie i pół godziny samolotem. – Przyglądała mu się uważnie, teraz był między nimi dystans, nowy chłód. – Wyobrażasz sobie, że potrafię rozmawiać z terrorystami? – W jej głosie pobrzmiewał lekki sarkazm, uraza.

– Tam będzie pełno ochrony. Tym nie musisz się przejmować. Zresztą wielu z nich nie brało udziału w działaniach terrorystycznych. Ty będziesz tłumaczyła, a nie rozmawiała, ktoś inny będzie zadawał pytania. Myślę, że sobie poradzisz. Te programy antyterrorystyczne... Uważam, że są częścią całego tego szumu, który ma na celu zamaskowanie prawdziwych problemów związanych z bezrobociem i nieskutecznym rządem. Rozmawiałem już z członkami tych radykalnych ugrupowań i sama zobaczysz, że nie mają realistycznej polityki, jasnego pomysłu, jak wdrożyć to, co ogólnikowo określają jako „islamska ekonomia" czy „islamskie państwo". To ruchy skupiające się na protestowaniu, a mają przeciwko czemu protestować. Izraelska okupacja Zachodniego Brzegu, nieudolność partii rządzącej pozbawionej masowego poparcia i która na ogół jest zależna od Zachodu. Te ugrupowania odwołują się do ludzkiego gniewu, gniewu wywołanego podziałami klasowymi, ale czy ludzie naprawdę uważają ich za realną alternatywę? Nie sądzę. Skończę już to kazanie. – Roześmiał się. Jego śmiech zmienił się w kaszel. – Przepraszam, że tak się rozwodzę na ten temat. Ale zastanów się. Uważam, że byłaby to dla ciebie dobra okazja, żeby pojechać do domu zobaczyć się z rodziną.

– Boję się.

Nie zrozumiał.

– Obawa przed nową pracą jest naturalna.

Kiedy nie zareagowała, zapytał:

– W tych ogrodach są jeszcze inne pomieszczenia, chcesz je zobaczyć?

Zostawili kaktusy i ruszyli wśród zieleni, tropikalnych roślin o dużych liściach, różowych kwiatów, miniaturowych wodospadów i strumieni, gdzie małe dziewczynki drażniły się z pływającymi tam rybami. A wokół nich odgłosy ptaków i płynącej wody. Woda pędząca rurami biegnącymi wzdłuż sufitu, żeby utrzymać wilgotność powietrza. A może na dworze pada już ulewny deszcz?

W najdalszym kącie, w stawie, niedaleko toalet i wyjścia przeciwpożarowego, podnosiła się i opadała komiczna mechaniczna żaba. Przebijała powierzchnię pokrytą osadem i unosiła się, z szeroko otwartym pyszczkiem, żeby wypluć wodę, w której żyła. Znów zapadała się chybotliwie, żeby posłusznie znowu się wynurzyć. Chłopiec z kurtką przewieszoną w pasie tam był, klęczał z boku przy stawie. Wydawało się, że on i kolega, który mu towarzyszył, są bardzo rozbawieni widokiem żaby. Chłopiec wyjął z buzi gumę, długą i srebrzystą, zrobił z niej pętelkę i włożył drugi koniec do ust. Wisiała, prawie dotykając ziemi, tam gdzie przyklęknął. Zachowanie, które matki karcą: „Włóż gumę do buzi. Przestań się nią bawić". Powiedziała do Mahasen: „Chcę znowu wyjść za mąż, muszę się w życiu na czymś skupić", a odpowiedź jej ciotki brzmiała: „Skup się na synu". Lecz zostawiła go, przyjechała tutaj i skupiła się na szpitalnym pokoju, patrzeniu przez okno, jak ludzie robią to, czego ona nie może. Cztery lata rekonwalescencji. Gdyby teraz pojechała do domu, przywiozłaby do Szkocji Amira, jeśli zgodziłby się z nią pojechać. Już by przed nim nie uciekła.

Szklane korytarze prowadziły do kolejnych pomieszczeń, gdzie były pnie drzew, rośliny na sprzedaż w doniczkach, wielkie grzyby podobne do kamieni. W sali „pustynnej" ich ławka była wolna, przywitało ją światło. Bez elektrycznej żaby, bez liści, tylko surowa, skąpa, jałowa roślinność, tak dobrze jej znana z dawnych czasów.

Odgłos płynącej wody okazał się deszczem uderzającym o szyby. Był jak deszcz z jej snu, jej pierwszego snu o teraźniejszości, kiedy pierwszy raz ten szary krajobraz znalazł miejsce w jej uśpionym umyśle. Przez cztery lata jej dusza zagłębiała się w przeszłość, nic w teraźniejszości nie mogło jej dotknąć.

– Ale jeśli pojedziesz do domu – powiedział Rae – trudno będzie ci wrócić, a ja stracę tłumaczkę.

Wtedy poznała znaczenie jego życzliwości. To, że wiedział, iż jest głęboko rozdarta wewnętrznie, wypełniona po brzegi odległymi miejscami, głosami w języku, który nie jest jego językiem.

4

Pierwszy dzień świąt Bożego Narodzenia i wszystko zamknięte, sklepy, biura, a pod oknem jej mieszkania nie przejeżdża autobus. Ani trochę śniegu, chodniki czarne od deszczu. Krótki dzień w kolorze chłodnego srebra, wciśnięty pomiędzy dwie noce. Puste ulice, jakby ludzie spali w domach albo jakby cały ten dzień był przedłużającym się porankiem, który nie nadejdzie aż do Nowego Roku. Jednak Sammar wiedziała, że to nieprawda. Niewidoczna gołym okiem, kryła się gdzieś kulminacja intensywnych zakupów ostatnich tygodni, drzewka, indyki, rodziny siedzące na kanapach. Jak na zdjęciach, które widziała w czasopismach. Osoby prywatne, pomyślała, które prywatnymi uczynił chłód. Świętowanie w domach, przez co ulice, zamiast mieć świąteczny charakter, są opustoszałe i smętne.

Słyszała telewizor w mieszkaniu piętro niżej. Mieszkanie Lesley na parterze. Starsza pani podkręciła głos, bo słabo słyszy. Przez podłogę dochodziły odgłosy oklasków i muzyki, typowe dla telewizji – tylko ta dzisiaj nie ma wolnego - dotrzymywały Sammar towarzystwa, podobnie jak dźwięki Lesley opuszczającej mieszkanie i wracającej do domu. Otwierające się i zamykające drzwi wejściowe, Lesley strząsająca parasolkę na wycieraczce. Była mieszkającą samotnie wojenną wdową, małą, ale o solidnej budowie, o nieskazitelnie siwych włosach, przyjazną i czujną.

Sammar raz zwróciła się do niej per „ciociu", z grzeczności, w tych pierwszych dniach, kiedy wróciła z Chartumu, cierpiąca, rozgorączkowana, bez Tariqa, bez Amira, pełna urazy do swojej ciotki. Lecz w gruncie rzeczy z wrażliwym sercem, zbyt wrażliwym, chorobliwie wrażliwym, więc kiedy starsza kobieta odpowiedziała zaskoczona: „Nie jestem twoją ciotką - ze zdumieniem w zmęczonych, orzechowych oczach. - Mów do mnie Lesley". Sammar płakała od półpiętra do pierwszego piętra głupimi rzewnymi łzami. Powierzchownymi łzami, jakie wywołuje krojenie cebuli, chociaż nie była w stanie zapłakać nad głową syna, obejmując ją na pożegnanie.

O trzeciej po południu, kiedy zaczęło się ściemniać, zgasiła światło, żeby niezauważona nadal mogła wyglądać przez okno. Rysowała zawijasy na szybie pokrytej parą, przesuwała palcem krople, które ściekały na parapet. Czy uda jej się wejść w trans i usłyszeć azan? Azan o zachodzie słońca, prawie tak samo ważny jak o świcie, kiedy muezin dodaje słowa: *Modlitwa jest lepsza niż sen*. Dzisiaj pościła, nadrabiając dni stracone podczas ramadanu. Łatwo było pościć od świtu o siódmej rano do zachodu słońca o wpół do czwartej. Tariq żartowałby z tego. „Oszukiwanie – powiedziałby. – Zbyt łatwe, nie liczy się". Pamięta, jak pościł w ramadanie, kiedy miał dwanaście lat, a mimo to pływał, jeździł na rowerze w doskwierającym popołudniowym upale, wyzywający i nieco zwariowany, próbując udowodnić, jaki jest silny. Lecz oni wszyscy tacy byli, nawet dziewczęta. Pościsz? Nonszalanckie „Tak" lub tylko kiwnięcie głową, celowo niedbałe, jakby to nie było nic wielkiego. Jednak pod koniec miesiąca naśladowali swoje matki: głowa mnie boli, nie mogę tego znieść, schudłam, z trudem coś jem wieczorem.

Była chwila po piętnastej i według obliczeń Sammar zostało jej około dwudziestu minut. Miała kartkę z meczetu z godzinami modlitw na każdy dzień. Dwudziesty piąty grudnia, maghrib o 15:31. Najpierw zje daktyla, napije się wody, pomodli, a potem zje ryż, który przygotowała wcześniej, i resztę ugotowanej fasoli z poprzedniego dnia. Pozostałą część wieczoru spędzi, pracując, ponieważ przed wyjazdem ma dużo do zrobienia.

W lutym wyjeżdżała do Egiptu w ramach programu antyterrorystycznego. Miała rozmowę w Londynie i widziała swoje dokumenty, które prowadzący rozmowę trzymał przed sobą: wypełniony formularz, ksero dyplomu, podpis Rae na referencjach. Na wszystkie pytania odpowiedziała pewnie, jakby była silna, jakby się nie bała. W duszy jej motywacją było to, że znów zobaczy dom. Praca miała trwać trzy tygodnie, podczas których eksperci zamierzali rozmawiać z ekstremistycznymi grupami w Egipcie, a ona miała tłumaczyć. Po trzech tygodniach poleciałaby samolotem do domu, do Chartumu, i przywiozłaby ze sobą Amira. Wszystko to trzeba było zorganizować, zaplanować nowy etap jej życia. Poczuła przypływ energii, ożyły kończyny i części umysłu, których od dawna nie używała.

Przez cztery lata żyła tak, jakby odebrano jej dom w taki sam sposób, jak odebrano jej Tariqa. Znów zobaczyć dom. Był żyrandolem na suficie jej życia, kręgami światła. Znów zobaczyć ulice, po których Tariq jeździł na rowerze, a ona codziennie wracała ze szkoły z nim i Hanan, w stronę lotniska, plecami do miejsca, w którym potem zachodziło słońce. Pojechać tam, gdzie wszystko się stało, do domu ciotki. Śmiech na ich weselu, ogień, kiedy przywiozła do domu ciało Tariqa. Połyskliwość rzeczy. Malowanie lodem na płytkach w kolorze wątrobianej czerwieni, obawa przed bezpańskimi psami, marzenia o własnym weselu na cudzych weselach, odwiedzanie wróżek rzucających muszle na piasek. Nigdy nie odpowiadały na pytania, z którymi przychodziła.

Odgłos telewizora przeszedł w ciche monotonne buczenie. Wystąpienie królowej. Sammar pomyślała, że Rae pewnie słucha tego teraz w Edynburgu, z rodziną, po świątecznym obiedzie w pokoju pełnym czerwieni i zieleni, w scenerii przypominającej tę z grubych darmowych katalogów, które wciskano do skrzynek pocztowych. Słowa wypowiedziane przez królową lub te przemilczane, nie tak jak w zeszłym roku, będą coś dla niego znaczyły. Sammar czuła się od niego oddzielona, na wygnaniu, podczas gdy on był w swojej ojczyźnie. Ona pościła, on zajadał się indykiem i popijał wino. Żyli w światach odseparowanych od siebie prostymi faktami - religią, narodowością, rasą - danymi, które wpisuje się do formularzy. Przecież on już nie pije, przypomniała sobie. Powiedział jej to, co sprawiło, że stał się jeszcze mniej groźny. Kolejna rzecz, dzięki której tak bardzo się od niej nie różnił. Od początku uważała, że nie jest jednym z nich, nie taki nowoczesny jak oni, nie tak niecierpliwy jak oni. Rozmawiał z nią tak, jakby niczego nie straciła, jakby była Sammar z przeszłości. Zwracał się do niej tak nie raz, nie dwa razy, ale za każdym razem. Kusiło ją więc, żeby zapytać, w momentach, kiedy umysł traci czujność, skąd mnie znasz, dlaczego różnisz się od pozostałych? Kusiło ją, żeby powiedzieć: „Nie jestem na to wystarczająco silna". Tyle ją kosztowało, żeby odwiedzić go z Yasmin tamtego dnia. Nawet w dniu spędzonym w ogrodach zimowych poszła do domu, czując dopadającą ją znienacka ślepotę, zamazującą fragmenty granitowych budynków i samochodów na ulicy.

Jednak w lutym leciała do domu i mogła zmienić plany, zostać tam na zawsze i stać się wspomnieniem dla osoby, która kiedyś była dla niej dobra. Zapamięta jego grafik, wykłady, seminaria, nazwiska doktorantów, których dyplomy nadzorował. Sumienny mężczyzna z Sierra Leone, Algierka słabo mówiąca po angielsku, dwóch studentów w dużych okularach, którzy wybrali kilka jego seminariów.

Sammar lubiła z nimi rozmawiać. Podczas lunchów i przerw na kawę w hałaśliwej uniwersyteckiej stołówce samoobsługowej kierowała rozmowę na jego temat. Uśmiechała się, kiedy go wychwalali albo żartowali z tego, że zawsze mówi: „Dlaczego tak jest?". Słowa studentów nabierały lirycznego charakteru, można było je zabrać, zapamiętać bez powodu.

W domu, wśród ludzi, których znała przez całe życie, przypominałaby sobie o nim to, czego się dowiedziała. Tytuły książek stojących na półce w jego gabinecie: *How Europe Underdeveloped Africa, The Wretched of the Earth, Religion in the Third World, Culture and Imperialism, Radical Islam, Terrorism in Africa, Muslim Extremism in Egipt.*

Znała jego różne style wypowiadania się. Czujny, bardzo ostrożny, kiedy zapytała, skąd wziął ten dokument Al-Nidaa. „Mam przyjaciół". Uśmiechnięty, niemal arogancki, kiedy trzymając poplamione kartki, stwierdził: „Badacze zabiliby za coś tak autentycznego jak to!". I jego głos słyszany raz w radiu, w programie prowadzonym w formie dyskusji, nerwowy i rozgorączkowany, co było dla niej nowością: „...nie największe zagrożenie, przed jakim stoi świat zachodni. Jeśli spojrzymy realnie na szkody poczynione przez działania terrorystyczne, muzułmańscy ekstremiści zrobili o wiele mniej niż IRA, Czerwone Brygady, grupa Baader-Meinhof, separatyści ETA...".

Dyżur po ogrodach zimowych. Pod koniec długiego pracowitego dnia, kiedy zapukała do drzwi jego gabinetu, a on odsunął krzesło. „Dla ciebie zawsze mam czas, o tej porze nie zniósłbym nikogo innego". Pouczający ją: „Tak zwany kraj rozwijający się charakteryzuje się trzema elementami: po pierwsze, gospodarką opartą na eksporcie; po drugie, niewystarczającą infrastrukturą; po trzecie, rządami kolonialnymi w swojej historii".

Wiedziała o jego astmie. Wrodzonej, niewywoływanej alergią. Wdychał dwa hausty ventolinu z niebieskiego inhalatora. Najpierw nim potrząsał, mimochodem, rozmawiając o czymś innym. Lek zostawiał na jego ustach smugę, którą zlizywał. Chrapliwy dźwięk wydobywający się z jego płuc, kiedy słuchała wystarczająco uważnie. Pod koniec dnia wyglądał na zmęczonego. Zmęczony i kaszlący, gdy zima, a wraz z nią zarazki, były coraz bliżej, kaszlący i przepraszający. Wybacz, Sammar, przepraszam Sammar. Aż zaczynała ją boleć klatka piersiowa.

Dyżur po ogrodach zimowych. Zaproponował, żeby zjedli razem lunch w jego gabinecie, z oszkloną ścianą, za którą pachnące kawą sekretarki wypisywały kartki świąteczne, a Yasmin, w widocznej już ciąży, wpatrywała się w Sammar. Był bardzo dumny ze swojego starannie przygotowanego lunchu. Kanapka z tuńczykiem, chleb słodowy, dwa jabłka, cztery herbatniki z owsianych otrębów, puszka irn-bru. Czując onieśmielający dreszcz, Sammar zastanawiała się, czy to właśnie robi każdego ranka: starannie przygotowuje drugie śniadanie. Jej kanapka, posmarowana tylko masłem, była zawinięta w tę samą folię co poprzedniego dnia – z trudem przywlokła się do pracy w porannych ciemnościach. I, o zgrozo, to była prawda: na krawędzi kromki chleba, którą trzymała w ręku, widniała plamka zielonego puszku. Piekący wstyd, spleśniała kanapka. Niezdarne wyjście, dni, podczas których unikała jego i Yasmin. Przysłuchiwała się tylko studentom, którzy go wychwalali; poezja ze Sierra Leone, arabski z ust Algierki.

Odkręciła kran i szum wody zagłuszył telewizor Lesley. Sammar widywała ją najczęściej ze wszystkich osób mieszkających w budynku. Lesley odbierała telefon na półpiętrze, automat telefoniczny, wspólny dla wszystkich oprócz Lesley, która miała własny bezprzewodowy aparat z sekretarką (wygrała nagrodę z katalogu Littlewoods). Kiedy rozmawiały, mówiły o pogodzie albo Lesley narzekała na innych lokatorów. Studentów, którzy się posprzeczali, a jeden z nich zadzwonił na policję – „co za zamieszanie" – i o tym, jak dziewczyna spod 3b trafiła na pogotowie po tym, jak posmarowała się olejem do smażenia i opalała na gorącym lipcowym słońcu. Lesley zawsze była zajęta, wychodziła grać w bingo bez względu na pogodę. Przez miesiące, kiedy Sammar dźwigała swój ból po schodach w górę i w dół, podziwiała Lesley, o tyle lat starszą od niej, a tak pełną życia. Żyjącą samotnie i wypełniającą swoją osobą pustą przestrzeń mieszkania, ogród, niszę życia.

O piętnastej trzydzieści pięć Sammar zjadła daktyla, który był jeszcze słodszy niż zwykle, dlatego że przerywała post. Wypiła wodę i poczuła się jak prosty człowiek, ktoś o skromnych potrzebach, które łatwo zaspokoić, łatwo zapewnić. Daktyle i woda sprawiły, że poczuła, iż ma wielkie serce, bez pragnienia czy poczucia żalu.

Umyła ręce. Jej mokra twarz w lustrze nie była inna od twarzy Sammar z przeszłości, może łagodniejsza, bardziej rozmyta, oczy bardziej zgaszone niż kiedyś. Obmyła stopy. Wczoraj zwróciła uwagę na swoje stopy, zauważyła, że są suche, i na tyle ją to obeszło, że kupiła pumeks. Zdrapała zrogowaciałą skórę nieusuwaną od lat. Zwróciła też uwagę na swoje włosy. Nałożyła na nie niesolone masło, jak robiła to kiedyś, owinęła folią aluminiową i czuła, jak masło rozpuszcza się na czaszce, po czym spłukała je szamponem. W ten sposób włosy się wzmocnią, zaczną błyszczeć po latach zaniedbania, siwe kosmyki, których Tariq nie widział.

Jej dywanik modlitewny miał frędzle na brzegach, aksamitny dotyk, zapach, który lubiła. Jedyny stabilny element w jej życiu, niepewnym życiu pełnym zwrotów, jakich umysł by nie wymyślił. Kiedy skończyła się modlić, usiadła do *tasbeeh*, kciukiem licząc wszystkie części palców, trzy na każdy palec, piętnaście na dłoń, *Astaghfir Allah, Astaghfir Allah, Astaghfir Allah... szukam przebaczenia u Allaha... szukam przebaczenia u Allaha... szukam przebaczenia...* dwudziesty dziewiąty raz, trzydziesty, usłyszała dzwonek telefonu na półpiętrze, trzydzieści jeden, trzydzieści dwa, kroki Lesley po schodach, trzydzieści trzy – i skupienie rozpadło się wraz z pukaniem do drzwi.

W głosie brzmiał ton narzekania. Najpierw powitanie, jej imię, i poczuła się wyrwana z dnia, który rozwijał się na piętrze. Powiedział:

– Tu Rae – jak zawsze robił to w pracy, kiedy rozmawiał przez telefon. Odpowiadała powoli, zastanawiając się, dlaczego dzwoni do niej w święta, z innego miasta. Zapytał:

– Spałaś? – Co ją rozbawiło, rozczuliło, że potrafił wyobrazić sobie sjestę w ciemnościach angielskiego bożonarodzeniowego popołudnia. – Udało mi się w końcu zdobyć tę pracę doktorską z Azhara, o której ci wspominałem – powiedział.

Przypomniała sobie, że coś o tym mówił, tematem była sprawiedliwość i władca albo niesprawiedliwy władca, nie była pewna.

– To dobrze. Trudno ją było zdobyć?

– Długo to trwało. Ale jestem bardzo zadowolony. – Nie mówił, jakby był zadowolony, miał zmęczony głos. – Spotkamy się, gdy wrócę. Może zaczęłabyś tłumaczyć fragmenty i pierwsze rozdziały, na przykład wstęp? Niedługo wyjeżdżasz, nie będziesz miała dużo czasu.

– Sześć tygodni – powiedziała. – Około sześciu tygodni.

– Liczysz dni?

– Czasami. Wydaje mi się, że zdążę przetłumaczyć też wstęp, jeśli nie jest zbyt długi.

– Zobaczymy po moim powrocie, kiedy ci go pokażę.

Oczekiwała, że zakończy rozmowę, pożegna się. Nie spodziewała się ciszy, która potem zapadła.

– Czy przyjemnie spędzasz święta? – zapytała.

– Nie, nie są przyjemne. W tym domu za dużo się rozmawia o jedzeniu. Są tu prawdziwi smakosze. Jedzą, a jednocześnie omawiają inne posiłki, rozpamiętują inne dania. Przy śniadaniu planują, co ugotują na obiad, i sprzeczają się na ten temat.

„Oni", jak dowiedziała się Sammar, to rodzina jego ekszony. Mieszka u nich, dlatego że jego córka Mhairi też tam jest. Świąteczną przerwę w nauce spędza w domu dziadków. Jej matka wciąż jest w Genewie, gdzie pracuje dla WHO.

Dla Sammar był to szok kulturowy: starszy pan w Edynburgu wpuścił pod swój dach byłego męża córki. To musi być cywilizowane zachowanie, „pokojowy rozwód". W jej stronach mąż, z którym rozwodziła się żona, był tym, który „okazał się psim synem", a żona tą, która „okazała się szalona", i tak ich właśnie traktowano. Nie „zostawali przyjaciółmi", nikt z nikim więcej nie rozmawiał.

Zapytała o jego córkę. Powiedział, że jest ładna i zadowolona z prezentów pod choinką. Powiedział, że zawsze, gdy się z nią widuje, dopiero po jednym, dwóch dniach dziewczynka przestaje się ograniczać do odpowiedzi w stylu „tak", „nie" i „nie wiem", po czym mówi tyle, że zaczyna go to denerwować. Powiedział, że do tej pory, z wyjątkiem dzisiejszego dnia, uciekali od domowego *cordon bleu* do jaskrawej żółci Burger Kinga i lokalu, w którym można kupić kebab na wynos. Wyznał, że chce, aby Mhairi wyrosła na taką buntowniczkę, jak on.

Rodziców byłej żony i kwestię jedzenia Sammar skomentowała tak:

– Może chcą, żebyście znowu się zeszli, więc starają się być gościnni.

Żadne jej słowa go nie zaskakiwały. Prawie zdążyła się już do tego przyzwyczaić.

– Nie, to nie tak. Są raczej zadowoleni z obecnej sytuacji – stwierdził i ciągnął monotonnym głosem: – Kiedy wspinasz się po szczeblach kariery w WHO, ostatnie, czego ci potrzeba, to kręcący się w pobliżu mąż, który krytykuje ONZ, wytykając hipokryzję jej polityki.

Sammar ściskała w ręku słuchawkę, wpatrując się w rowery stojące pod schodami, w tabliczkę z napisem *Nie zapomnij kluczy* na drzwiach wyjściowych.

– Dzień przed moim wyjazdem – opowiadał – byłem w dziale kadr i musiałem coś skserować. Ksero znajdowało się w małym pomieszczeniu, w którym nigdy wcześniej nie byłem. Wisiały w nim stare zasłony w duży, pomarańczowo-brązowy wzór. Taki charakterystyczny styl z lat siedemdziesiątych, przestarzały. Przypominały mi dom. Mieliśmy takie zasłony w kolorach jaskrawopomarańczowym, niebieskim i brązowym. To był porządny dom, zbudowany w późnych latach sześćdziesiątych, z widokiem na Dee. Kuchnia i salon mieściły się na piętrze i były tam okna od podłogi do sufitu, ciągnące się przez całą długość pokoju. Specjalnie, żeby móc podziwiać ten widok. Skojarzyłby ci się z Nilem, Sammar, tyle że Nil jest szerszy, a jego brzegi bardziej regularne. Mnie kojarzył się z Nilem.

Wtedy właśnie wróciliśmy z Egiptu. Jej nie bardzo się podobało. Ona lubiła spacerować, a Kair nie jest miastem do spacerów. Pamiętam, jak dom został sprzedany, a ona przyjechała z Genewy, żeby się spakować. Wracałem do domu z pracy i zastawałem ją siedzącą na podłodze, palącą papierosa i przeglądającą rzeczy. Za dużo rzeczy. Książki, płyty, stare ubrania. Nigdy nie lubiliśmy niczego wyrzucać, czasopisma, gazety po prostu zaczynały się piętrzyć. Podpisałem pudła, a ona wszystko rozdzieliła. Zostawiła mi to, co było północnoafrykańskie, islamskie. Na początku znajomości paliliśmy razem. Papierosy i inne rzeczy. Wtedy tak się robiło. Ona paliła pomimo ciąży. Ja przestałem, kiedy zaostrzyła mi się astma. Mimo to w domu było pełno dymu, dymu papierosowego i złych uczuć.

Sammar potrafiła sobie wyobrazić dom z pomarańczowymi zasłonami, widok na rzekę, pokoje wypełnione pięknymi przedmiotami, europejskimi i afrykańskimi. Życie toczące się w tym domu składało się z dymu i złych uczuć.

– W nocy kłótnie... Czułem taki spokój, kiedy wychodziłem rano do pracy, rozmawiałem ze studentami, wyciszałem się, czytając *Analizę polityki zagranicznej*. Zostawałem do późna, zwlekałem z powrotem do domu. A im później wracałem, tym później zaczynały się kłótnie i tym dłużej się ciągnęły. Pozbawianie snu jest torturą. Zdarzało mi się przysnąć za kierownicą. Raz zasnąłem podczas rozmowy, po prostu zasnąłem, czułem się tak, jakbym był pod wpływem narkotyków. Obudziła mnie, potrząsając i mówiąc: „Słuchaj mnie, słuchaj”... - Zaczął kaszleć. Kaszlał, aż Sammar rozbolało serce. Na półpiętrze było zimno. Zza drzwi Lesley dobiegły dźwięki fortepianu z programu komediowego.

- Jesteś chory? - spytała.

- Tak, coś mnie bierze.

Sammar przełożyła słuchawkę do drugiej ręki i wytarła rękę o sweter. Chciała, żeby mówił, nie przestawał mówić, aż jej uszy będą płaskie i posiniaczone.

- Przepraszam, za dużo mówię - powiedział.

- Nie. - Szukała słów, odpowiednich słów, współczujących. Zaczął z nią rozmawiać niespodziewanie i bardzo otwarcie, a ona w odpowiedzi potrafiła wydobyć z siebie tylko: „Jesteś chory?”.

Zaczęła mówić o pracy, przez co poczuła się pewniej.

- Znalazłam tłumaczenie hadisów *qudsi.* * Tekst jest na przemian po angielsku i arabsku. Jest tam też dobre wprowadzenie wyjaśniające, czym hadisy różnią się od Koranu.

- I co piszą? Jak to ujęli?

Nie była na to przygotowana i zaczęła się trochę plątać, tłumacząc, że książkę ma na górze i musiałaby po nią pójść i czy jego gospodarze nie będą mieli nic przeciwko temu, że tak długo rozmawia przez telefon.

---

* Hadis - opowieść o czynach i słowach Mahometa oraz jego towarzyszy. Każdy hadis składa się z tekstu i łańcucha przekazicieli; hadisy tworzą sunnę - najważniejsze po Koranie źródło obyczajów i prawa islamu.

– Nie przejmuj się nimi. Są bardzo dobrze zorganizowani. Dostają billingi. Musiałem już dzwonić za granicę, do Egiptu i Maroka, i potem się z nimi rozliczałem. – Teraz mówił nieco lżejszym tonem.

Wbiegła po schodach, które często pokonywała stopień za stopniem, dźwigając swój smutek. Teraz otaczała je inna aura, inne światło, a w całym budynku była tylko ona i Lesley. Pozostali lokatorzy wyjechali na święta i schody należały tylko do niej. Gdzie teraz jest, w jakim kraju? Który to rok? Wspięła się po schodach wprost do halucynacji, w której świat zawirował. Dom i przeszłość przyszły tutaj i trwały tylko dla niej. Schody w łagodnym żółtym świetle i odgłosy przyjęcia, rozmowy i czyjś śmiech. Była w środku tego śmiechu, ubrana w coś nowego, niosąc tacę, uważając na kręcące się i nurkujące przy jej kolanach dzieci. Częstowała jakimś ciemnym słodkim napojem w szklankach, a kiedy ktoś odmawiał, przekonywała, dopóki nie zmienił zdania. Ktoś zawołał ją po imieniu, musiała się uwijać, spojrzeć przez ramię, odnaleźć głos, odkrzyknąć: „Już idę!".

Siedziała na podłodze i przez telefon czytała na głos notatki, które sporządziła na podstawie książki. – Definicja podana przez badacza al-Jurjaniego: *Święty hadis pod względem znaczenia pochodzi od Wszechmocnego Allaha; pod względem sformułowania pochodzi od Wysłannika Allaha, niech pokój będzie z Nim. Jest tym, co Wszechmocny Allah przekazał Swemu Prorokowi poprzez objawienie albo we śnie, a on, niech pokój będzie z nim, oddał własnymi słowami. Dlatego Koran go przewyższa, ponieważ, nie tylko został objawiony, ale też sformułowany przez Allaha.* Według definicji, podanej przez późniejszego badacza, al-Qariego: *... w przeciwieństwie do Świętego Koranu, Święte Hadisy nie są dopuszczone do recytacji podczas modlitwy, nie jest zakazane dotykanie ani czytanie ich przez kogoś, kto jest w stanie rytualnej nieczystości... i nie można im przypisać atrybutu niezrównanych.*

– To jasna definicja, dziękuję – powiedział Rae. – A ich temat? Zakładam, że nie obejmują kwestii prawa...

– Raczej nie. Jest część poświęcona tej tematyce. – Przerzuciła kilka kartek. – ...wyjaśniają znaczenie Boskości... styl ma zwykle formę bezpośredniej narracji... Przeczytam fragment. Prorok, niech pokój będzie z nim, powiedział: *Wszechmogący Allah mówi: Jestem tym, za kogo bierze mnie Mój sługa. Jestem z Nim, kiedy wymienia Moje imię. Kiedy wymienia Moje imię przed sobą, ja wymieniam jego imię przede Mną; a kiedy wymienia Moje imię przed zgromadzeniem, ja wymieniam jego imię przed bardziej znakomitym zgromadzeniem; a jeśli przybliża się do Mnie na długość dłoni, ja zbliżam się do niego na długość ręki; a jeśli on zbliża się do mnie na długość ręki, ja zbliżam się do niego na długość sążnia. A jeśli on zbliża się do mnie, idąc, ja idę ku niemu pospiesznie.*

Rae odpowiedział po dłuższej chwili:

– Przetłumaczyłabyś to dokładnie tak samo?

– Do pierwszego zdania jest przypis, który mówi, że inny możliwy przekład z arabskiego brzmi: *Jestem tym, czego oczekuje ode Mnie Mój sługa.* I według mnie to jest bliższe arabskiemu słowu, które znaczy „oczekiwać", „myśleć", a nawet „spekulować".

– W tym społeczeństwie, w tym świeckim społeczeństwie, spekuluje się, że Bóg gra sobie gdzieś w golfa. Pomijając zaledwie kilka wyjątków i tych, którzy są ateistami z przekonania, mówi się, że Bóg stworzył ten skomplikowany Układ Słoneczny i zostawił go, żeby toczył się własnym torem. Bez potrzeby utrzymywania go czy podtrzymywania przez Niego w jakikolwiek sposób. Ludzki gatunek jest samowystarczalny...

– Ale dlaczego w golfa? – zapytała. – Dlaczego akurat w golfa?

A on roześmiał się po raz pierwszy tego dnia.

5

W drugi dzień świąt Bożego Narodzenia i weekend po nich oraz w Nowy Rok, zanim ulice znów zapełniły się samochodami i uczniami, zanim pozostali lokatorzy wrócili po urlopach, Sammar czekała na półpiętrze, uzbrojona przeciwko chłodowi: warstwy wełny, skarpetki, poduszka do siedzenia jako izolacja od desek podłogowych. Niezręcznym momentem był dzwonek telefonu, jego ostry dźwięk oraz świadomość, że telefon jest do niej, świadomość tego, kto dzwoni. Niezręczne były też pierwsze zdania. Jej imię: „Halo". Pogoda: „W Edynburgu pada. Mroźno, wręcz lodowato w Aberdeen".

– Jak się masz?

– Jak się masz? Jak się miewa Mhairi?

– Co bierzesz na przeziębienie?

Powiedział, że czytał w prasie, iż tysiące ludzi wyjeżdża o tej porze roku za granicę, szukając miejsc do jazdy na nartach albo słońca. Popularne były stoki narciarskie we Francji albo Teneryfa.

– To najlepsza pora roku na Maroko, Libię, Bliski Wschód – stwierdził.

Przywołał wspomnienie podróży pociągiem w latach siedemdziesiątych z Tangeru na południe, do Marrakeszu. Najpierw deszcz, by potem do zatłoczonego wagonu zajrzało słońce. Mężczyzna z sumiastymi wąsami poczęstował go papierosem i zaczęli rozmawiać o akcji w Entebbe. Rae przypomniał sobie czasy, kiedy mógł oddychać jak inni ludzie, kiedy na świecie było więcej powietrza.

– W Sudanie mamy zimę – powiedziała. – Chłodną, która pozostaje na skórze, nie wgryza się do kości, zadowala się spierzchniętą skórą, nadając jej popielaty kolor.

Mówiła, że zimno sprawiało ból, kiedy była mała, i przypomniała sobie glicerynę, uczucie palenia, polecenie, nie zlizuj, nie zlizuj jej z ust. Albo pozbawioną smaku wazelinę w plastikowych tubkach, z ziarnkami piasku, brązowymi i szorstkimi w gęstej srebrnej mazi. Albo krem Nivea, niebieskie opakowanie luksusu, któremu towarzyszyła niemiecka reklama w telewizji.

– Co jest bardziej niebieskie: Nil czy opakowania kremu Nivea? – spytał ją.

Odpowiedziała, że kolory ją zasmucają. Żółty, jaki znała, i zielony, jaki znała, tu nie istnieją, nie są takie jasne, nie takie intensywne jak powinny być. Wyliczyła różnice: pogoda, kultura, nowoczesność, język, milczenie muezina, a potem odkryła, że kolory błota, nieba i liści też są inne.

– Nil jest bardziej błękitny – powiedział głosem zmienionym od grypy. – Nie przyjrzałaś mu się? Czy zamiast tego oglądałaś w telewizji *Peyton Place*? Pytam, bo na Zachodnim Brzegu rano dzieci rzucały kamieniami w żołnierzy, a wieczorami, siedząc razem na podłodze, oglądały *Dallas*.

– Nocą sypialiśmy na dworze – odpowiedziała. – Wystawialiśmy łóżka o zachodzie słońca, żeby potem pościel była chłodniejsza. Było tak gorąco, że wyjęta z komody pościel, w której mieliśmy spać, była zbyt nieprzyjemna, najpierw trzeba ją było ochłodzić. Każdej nocy widziałam nietoperze w chmurach i szarą plamę ptactwa. A wokół księżyca widniało jeszcze inne światło, zawsze tego samego kształtu. W odległej przeszłości muzułmańscy lekarze zalecali nerwowym osobom patrzenie w niebo. Zapomnijcie o ciasnej ziemi. Wyobraźcie sobie, że niebo, całe niebo należy do was. Sierp nisko wiszącego księżyca, więcej gwiazd niż wpatrujących się w nie oczu. Lecz niebo było za darmo, bez ceny, nikt, kogo znałam, o nim nie mówił, nikt o nie nie rywalizował. Zamiast tego ci, którzy mogli sobie na to pozwolić, jeden po drugim zaczęli spać w domu, w chłodnych klimatyzowanych pokojach, z dala od komarów i much, z dala od azanu o świcie. Teraz, kiedy budują domy, kiedy budują bloki mieszkalne, nie ma w nich miejsca, gdzie ludzie mogą spać na zewnątrz. To element przeszłości, wspomnienie z mojej przeszłości.

– To wróg, coś, co jest nieodwracalne, co już dotarło do najdalszego z punktów – stwierdził. – Nie ma powrotu. Mogą wysadzać w powietrze całe autobusy turystów, palić amerykańską flagę, ale nie strzelają do wroga. Już jest z nimi, w nich, tym, co czyni ich wrogimi, napawa niechęcią, pozbawia ich przekonania co do ich wizji świata.

Zastanowiła się nad tym, skłonił ją do myślenia. Półpiętro, z rowerami pod schodami i zimowym słońcem sączącym się przez otwór skrzynki pocztowej, istniało. Jednak wszystko było nierealne, wtórne. Realne było to, iż dostała pozwolenie, żeby myśleć i mówić, a jego nie zdziwi nic, co ona powie. Zupełnie jakby złożył jej obietnicę, że nigdy nie będzie zaskoczony. Zaskoczenie było częścią miasta, granitowych budynków, autobusów jeżdżących najwęższymi uliczkami. Zaskoczenie miało różne odcienie: zaskoczenie-szyderstwo, zaskoczenie-zażenowanie, zaskoczenie-rozbawienie, zaskoczenie-przygana. Musiała być cicho. Zachować milczenie za pomocą zębów i ust.

A teraz zasady były łamane. Rozpadały się, kiedy mówiła, w mieszkaniu Rae. Jej palce na czasopiśmie. „Nosiłam taki mundurek w szkole". Zasady rozpadły się i roztrzaskały jej głowę na drobne świetliste kawałki.

Pierwsza afrykańska noc. Ona odezwała się pierwsza, gdyż tak jak on urodziła się w tym zimowym królestwie. Tak jak on pojechała do Afryki i ją pokochała.

Przybyli z Londynu nocą. Ojciec z prestiżowym dyplomem, matka, która urodziła dzieci za granicą, siedmioletnia Sammar. To był jej pierwszy raz w samolocie, to tym się ekscytowała w poprzedzających lot tygodniach, a nie tym, dokąd leci. Dom był niejasnym pojęciem, mieszanką tego, co mówiła matka. Był szaro-białym miejscem, jak na fotografiach jej kuzynów, które przychodziły pocztą lotniczą. W tygodniach przed lotem chodziło o samolot. Nowe ubranie, które włoży do samolotu, lalka, żeby była cicho, czy może siedzieć przy oknie? Czy może otworzyć okno? Gładkie owalne okno. Piękno tacy przyniesionej przez stewardesę, doskonałe filiżanki, talerze pełne różnych rzeczy, gorących, zimnych, w różnych kolorach. Cukier w torebce, wykałaczka, którą może rozpakować i bawić się nią, kłuć lalkę w oczy. Potem maleńka poduszka do spania. Czy możemy zabrać poduszkę ze sobą? Dlaczego nie? Dlaczego nie? Na parkingu przy lotnisku w Chartumie czekało na nich dużo osób. Osób, które robiły zamieszanie i mówiły jednocześnie. Kobieta wybuchnęła płaczem, mężczyźni obejmowali jej ojca, dzieci wpatrywały się w Sammar. Jej kuzyni, Hanan i Tariq, zaciekawieni, uścisnęli jej dłoń. Był tam też Ahmed Ali Yasseen. Podniósł ją i niósł wysoko ponad samochodami i innymi dziećmi. Była ponad nimi wszystkimi. „Co mi przywiozłaś z Londynu?" – zapytał. „Nic". Wzruszyła ramionami, on roześmiał się i inni, którzy ją usłyszeli, też się roześmiali. A ona nie rozumiała, co ich tak rozbawiło, była szczęśliwa, że ktoś ją niesie, unosi. Była w wieku, w którym często słyszała: jesteś za duża, żeby cię nosić, jesteś za ciężka, jesteś już dużą dziewczynką.

Ich bagaże zniknęły w różnych samochodach. Również Sammar i jej rodzice znaleźli się w różnych samochodach jadących w to samo miejsce, do domu jej ciotki na obiad i nocleg. Sammar jechała z 'Am Ahmedem jego toyotą pikapem. Siedziała z jego żoną na przednim siedzeniu, a Tariq z tyłu. Ciągle wstawał i 'Am Ahmed go upominał: „Usiądź jak należy, chłopcze, albo wezmę cię do mnie, na przód". Jednak Tariq nie potrafił usiedzieć na miejscu, ruchliwość, ściąganie na siebie uwagi miał w naturze. Sammar uważała, że jest niemądry. Z upływem kolejnych miesięcy wydawał jej się odważny, odważny i niemądry zarazem, robiący zakazane rzeczy, na które ona by się nie poważyła, jak zabawa brzytwami znalezionymi na ziemi albo jazda rowerami po zatłoczonych głównych ulicach.

Dom jej ciotki był niedaleko, więc podróż samochodem nie trwała długo. Rae spytał przez telefon:

– Jak daleko?

– Niedaleko – odpowiedziała i przełożyła słuchawkę do drugiej ręki, drugiego ucha. – Niedaleko, jak z Holburn Street do Old Aberdeen. I była późna noc, więc ruch nie był zbyt duży. Nocą Chartum jest słabo oświetlony. Komuś, kto do tego nie przywykł, wydałby się mroczny, ciepły i nudny. Kiedy psuje się jedna z latarni, mija dużo czasu, zanim zostanie naprawiona, tygodnie i miesiące. Lecz w ciemnościach nie ma strachu. Ulice są bezpieczne, nie licząc bezpańskich psów i odkrytych studzienek, dziur w chodnikach, w które łatwo można wpaść.

– Wpadłaś kiedyś?

– Nie. – Roześmiała się i było tak, jakby na półpiętrze zrobiło się ciepło jak podczas nocy w Chartumie, które opisywała.

W samochodzie, opowiadała Rae, żona 'Am Ahmeda przez cały czas się do niej uśmiechała. Miała złoty ząb, który Sammar próbowała wyrwać, co rozśmieszało tę kobietę z dołeczkami i pulchnymi ramionami. Zamiast tego dała Sammar jedną ze swoich złotych bransoletek. Była za duża. Sammar wcisnęła ją na ramię, spróbowała włożyć na drugie, upuściła na podłogę i musiała zgramolić się na dół, żeby ją podnieść.

Dom ciotki był rzęsiście oświetlony. Lampy w ogrodzie zlewały się z innymi, światłami z przyjęć, światłami z kolejnych lat, światłami weselnymi. Na podjeździe i na ulicy stały zaparkowane samochody. Sammar zobaczyła rodziców z małym braciszkiem Waleedem, teraz się nią nie interesowali, zaabsorbowani krewnymi i przyjaciółmi, których nie widzieli od lat. I chociaż ich bliska obecność dawała jej poczucie bezpieczeństwa, ona też nie była nimi zainteresowana. Była zbyt świadoma wszystkich i wszystkiego wokół niej. Nowość ciepłej nocy, zdezelowanych samochodów i dużego domu, który miała przed oczami. Oświetlony dom, a przed nim pusty plac tonący w mroku. Plac, który był duży i tajemniczy. Na ziemi potłuczone szkło, psy przekopywały się, szczekając, przez wyrzucane tam śmiecie. Pod wiatą dla samochodów, kiedy wchodziły do środka, Sammar pokazała Hanan bransoletkę, dała przymierzyć. Porównały długość swoich rąk, grubość nadgarstków. Początek. W nadchodzących latach będą porównywały swoje pomalowane paznokcie, włosy na rękach, linie we wnętrzu dłoni.

Jej ciotka Mahasen była wysoką kobietą w tobe w kolorze słońca, kobietą, która nie przyjechała na lotnisko. Była częścią domu, częścią tych świateł. Kobietą, która przeszła po trawie z wyciągniętą ręką, mówiąc: „Mój bracie”... i najpierw uściskała ojca Sammar. Kobieta przyjrzała się małemu Waleedowi i zapiszczała: „Jest brzydki, co to za stworzenie!”, i wszyscy się roześmiali, kiedy uszczypnęła go w policzki i pocałowała w czoło. Mahasen usiadła na jednym z krzeseł w ogrodzie i przyciągnęła Sammar do siebie. Sammar poczuła niespodziewany zapach perfum, dostrzegła kwiaty wyhaftowane na tobe w kolorze słońca, ich fakturę tuż przed oczami. Mahasen wygładziła kciukiem brwi Sammar, dotknęła płatków jej uszu, brody. „Ta mi się podoba”, powiedziała, śmiejąc się do brata. I wstała, taka wysoka, tyle wyhaftowanych jaskrawych fałd. „Chodź ze mną, Sammar”.

Trzymała ciotkę za rękę. Eleganckie dłonie, które nigdy nie zmywały naczyń, nigdy nie szorowały podłóg. W domu cała podłoga była pokryta kropkowanymi płytkami, brązowo-czarne kropki, imitacja marmuru. Rozległa powierzchnia z twardych kwadratowych płytek. Dziwnych dla Sammar. Przywykła do nierzucających się w oczy dywanów i drewna londyńskich mieszkań. Te płytki były do liczenia, do ślizgania się po nich. Sandały ciotki na wysokim obcasie stukały w zetknięciu z nimi. Żółte sandały, dobrane do tobe, paznokcie w kolorze ceglanej czerwieni, systematycznie pielęgnowane pięty, w które codziennie wmasowywała krem. W sypialni ciotki było duże lustro, słoiki z płynami i kremami. Radio tranzystorowe, obraz przedstawiający gazele, wielkie łóżko z niebieskimi poduszkami. A na nocnym stoliku - to, po co ciotka ją tu przyprowadziła - zdjęcie dziewczynki karmiącej gołębie. Gołębie tłoczyły się do jej wyciągniętych rąk, jeden siedział na jej wystraszonym ramieniu. Nad nią górował kamienny lew na Trafalgar Square. „To ja!" - powiedziała Sammar. Pierwsze słowa, które wymówiła w domu ciotki.

- Tego wieczoru - opowiadała Rae przez telefon - tego wieczoru, jak prawie każdego wieczoru, dorośli siedzieli w ogrodzie. Kiedy podrosłam, pozwolono mi siedzieć z nimi, na krzesłach z chłodnymi poduszkami, a nad nami wszystkie te gwiazdy. Owady atakowały ogrodowe lampy, a te, które za bardzo się zbliżyły, zamieniały się w czarne kropki przyklejone do gorącego szkła. Ogród wypełniały dźwięki: śmiech i głośne perorowanie, nieustający rechot żab, subtelniejsze odgłosy koników polnych. A od strony placu dochodziło wycie psów, daleki odgłos smutku.

Pierwszego wieczoru w Chartumie spacerowała z Hanan i Tariqiem po ogrodzie i za domem, gdzie nie było ogrodu. Weszli po schodach na dach. Stał tam rząd pustych łóżek. Bez względu na to, dokąd szli, Tariq robił coś, czego Hanan i Sammar nie chciały powtarzać. W ogrodzie zdjął sandały i przechadzał się po błocie na kwiatowych rabatkach. Zrywał liście z eukaliptusa. W kącie ogrodu była huśtawka. Huśtał się na niej na stojąco, a kiedy był bardzo wysoko, zeskakiwał bez wysiłku, bez lęku.

Na tyłach domu czuć było zapach ognia i marynowanej jagnięciny. Kucharz grillował kebaby nad węglem. Ubrany był w galabiję i miał czerwone oczy. Siedział na niskim stołku, wachlując płomienie gazetą. Tariq ukucnął obok niego i sięgnął po kawałek mięsa. Kucharz uderzył go gazetą po głowie. „Uciekaj, poparzysz się". Ale Tariq się roześmiał, uchylił przed kolejnym uderzeniem i złapał kawałek mięsa, szary, wciąż prawie surowy. I wywołał obrzydzenie, żując i żując go, a potem wypluwając. „Mój brat jest okropny – powiedziała Hanan do Sammar. – Nienawidzę go". Tariq budził w Sammar niepokój, nie spuszczała z niego wzroku. Kuzynka Hanan bardziej jej się podobała. Na dachu patrzyli znad barierki na rodziców poniżej. Siedzieli w dużym kręgu, nie spoglądając w górę. Część mężczyzn paliła, a ich papierosy to były ładne małe światełka, które poruszały się w tę i z powrotem. Ciemność usiana gwiazdami, usiana niczym płytki w domu, tyle że kropki na niebie nie pozostawały w bezruchu. Nagle wielki szary cień wzbił się z głębokim rykiem wśród przezroczystych chmur, mrugając czerwonymi światełkami. „To wasz samolot" – powiedział Tariq, spoglądając w górę. Za mocno wychylał się przez barierkę. Rzucił się w przeciwną stronę, trzymając się barierki, pozwalając, by ręce dźwigały cały ciężar ciała. „Nasz samolot?". Sammar nie zrozumiała. „To samolot, którym przyleciałaś – wyjaśnił. – Wraca do Londynu bez ciebie".

Rae zakaszlał na drugim końcu linii.

– Przepraszam. Wybacz, Sammar.

Odłożył słuchawkę i wydmuchał nos, odkaszlnął, splunął w chusteczkę. Słyszała go.

Rozmawiali o jej ojcu i ciotce, o tym, jak szybko zachodzą zmiany w tamtej części świata. Zadawał jej pytania.

– Dlaczego tak jest? – pytał.

Kiedy odpowiadała, milczał, jakby myślał o tym, co mu powiedziała. Wyobrażała sobie, że wyciera ręką twarz.

Rozmawiali o Chartumie. Chartumie, gdzie Niebieski i Biały Nil spotykają się pod mostem, pod słońcem, i Umdurman za mostem, gdzie grzebano świętych i w powietrzu unosiło się coś starego i pełnego. Ponad piaskiem i odgłosem wiatru wszystko trzymało się razem, połączone. Znał szczegóły z historii jej kraju lepiej niż ona sama, właściwe daty. Obydwoje znali słownictwo... Mahdi, Gordon, Khalifa, Kitchener i Wingate.

– W Aberdeen – powiedział Rae – jest pomnik Gordona. W Schoolhill. Widziałaś go?

– Nie. – Nie widziała za dużo, chodziła, śpiąc.

– Powinnaś go kiedyś zobaczyć. – Tabliczka w kamieniu, słowa: *Zmarł w Chartumie w roku 1885.*

– Nie wiedziałam, że był Szkotem. Nie uczyli nas o tym w szkole.

– To byli Brytyjczycy...

– *Ingliiz*... – Roześmiali się, a wiatr zatrząsł lekko frontowymi drzwiami i ucichł.

Powiedział, że nigdy nie był w Chartumie. Kiedyś były plany, ale nie doszły do skutku.

– Szkoda, że go nie widziałeś – westchnęła. – Jest piękny... – Przerwała, chcąc powiedzieć więcej, opisać słowami: prosty, autentyczny, poddany prawom natury.

Kiedy się odezwała, miała smutny głos: - Ale nie jest uważany za piękny...

- Przez kogo?

- Przez ludzi, którzy znają świat lepiej ode mnie.

- Ale ja ufam tobie. Sprawiasz, że czuję się bezpiecznie. Czuję się bezpiecznie, rozmawiając z tobą.

Wzięła słowo „bezpiecznie" i odłożyła na bok, żeby rozebrać je później na części i zastanowić się, co oznacza. Siedząc na podłodze na półpiętrze, pomyślała, że to cud. Nie tylko jego głos, ale to, że szczęście może pojawić się tutaj, u podnóża schodów, tych samych schodów, które kiedyś tak trudno było pokonać, które prowadziły do jej sali zimowego snu, sali szpitalnej.

6

W Nowy Rok i weekend, który przyszedł po nim, Sammar siedziała u podnóża schodów, słuchając Rae. Opowiadał o pierwszej nocy w Maroku i przychodziły do niej obrazy miejsca, w którym nigdy nie była. Z dekady, kiedy ona była dziewczynką, a on dorosłym.

Plan był taki, że we trzech pojadą furgonetką z Edynburga do Francji i Hiszpanii, a potem przepłyną Morze Śródziemne z Algeciras do Tangeru. Rae, Steve i Chris, pod koniec lat sześćdziesiątych dwudziestokilkuletni, tuż po studiach, gotowi na narkotykowy szlak, gotowi na czarny kontynent. Chris chciał płynąć z prądem, uciec, sam nie wiedział od czego. Podnosił ciężary i nienawidził sam siebie. Prowadząc, prychał zniecierpliwiony i mierzwił sobie długą grzywkę opadającą na oczy. Steve zachowywał spokój, wierzył w przyjaźń i miłość, był jednym z niewielu ludzi, których Chris nie nienawidził. Steve chciał jechać do Indii, Afryka Północna to był dla niego kompromis, uprzejme ustępstwo wobec życzeń pozostałej dwójki.

W furgonetce Rae rozwodził się na temat *The Republic* i *Kapitału*, oraz Livingstone'a, Richarda Burtona, afrykańskiego odkrywcy i tłumacza *Arabskich nocy*. Znanych mu nazwisk, gdy mijali miasta i miasteczka, Fidel Castro, Golda Meir, Haile Selassie, Frantz Fanon i walka z antykolonializmem.

– Dowiedziałem się, że mój idol, Malcolm X, ma przemawiać na LSE, pojechałem tam... to, jak porwał wszystkich...

– Zamknij się wreszcie!

– Zamknij się!

Nie chciał się zamknąć. Całe lata zajęło mu poznanie wartości ciszy, siły starannie dobranych słów. Tego lata jego głos nie cichł, monotonny dźwięk, podczas gdy furgonetka jechała przez Anglię, wiejskie tereny Francji, słońce Hiszpanii. Kiedy była jego kolej za kierownicą, mówił mniej, ale rzadko prowadził. Chris lubił być kierowcą, rola pasażera go nudziła. Rae zamykał się tylko wtedy, gdy czytał albo słuchał trzeszczącego radia tranzystorowego nastawionego na *Wiadomości ze świata*. Słuchał uważnie, nie zwracając uwagi na otoczenie. Na świecie dużo się działo, historyczne wydarzenia. Milkł też w tych rzadkich przypadkach, kiedy mieli towarzystwo dziewcząt. Dziewczyny lubiły Steve'a, był przystojny, grał na gitarze. Chris głupio się przy nich zachowywał, kopał opony furgonetki, zwiększał obroty, kiedy podwozili dwie autostopowiczki z Paryża. Według Chrisa życie było gumką ciasno owiniętą wokół niego samego. Przez cały czas sprzeczał się z Rae.

A Rae go prowokował i drażnił, pouczał z tylnego siedzenia, przygnieciony bagażem, radiem, gitarą Steve'a.

– Anglicy najpierw skolonizowali górskie tereny Szkocji...

– Wystarczy, Rae.

– ...potem Indie i Afrykę. Zmusili Szkotów, żeby splądrowali te ziemie dla Imperium. To Szkoci poświęcili życie...

– Zamknij się wreszcie!

– To oni byli piechurami. Ich pierwszych dosięgały dzidy, dzidy derwiszów i Fuzzy Wuzzy – Kipling nazwał ich tak w wierszu. Hej, Muzyku! Słyszałeś o Fuzzy Wuzzy? Chris, ty nadęty analfabeto! Nadal utrzymuję, że każdego, kto nie czytał Fanona, powinno się zastrzelić...

Chris zahamował, szarpnięciem otworzył drzwi furgonetki, wysiadł i wyciągnął najpierw zdumionego, a potem stawiającego opór Rae na pobocze. Ciężarowcowi amatorowi przełamanie tego oporu przyszło bez trudu. Jeśli chodzi o czas, nie trwało to długo. Pokonany Rae został na poboczu. Steve w furgonetce śmiał się, robił miny i gestykulował. Rae dowlókł się pozostałe do Algeciras pięć mil, wycierając krew sączącą się z nosa. Bez swoich ulubionych *Wiadomości ze świata*, bez książek, paszportu, ubrań. To nie było śmieszne. Czekali na niego w porcie. Cisza była ich przeprosinami. Nienawidził ich, nienawidził takich kawałów. Widział zbliżający się koniec, koniec ich trójki. Spał na tylnym siedzeniu furgonetki, spał głęboko, podczas gdy zachód słońca i łódź unosiły się na Cieśninie Gibraltarskiej.

Noc i pierwsze widoki afrykańskiego wybrzeża. Światła wzdłuż portu w Tangerze, otaczająca go melodia innego języka, ludzi, których nie interesowała jego cudzoziemskość. Łódź była pełna wędrownych robotników z Maroka wracających do domu z Francji i Hiszpanii, obładowanych workami, i plastikowymi torbami. Część z nich, z rodzinami, miała załadowane po brzegi stare samochody, śmierdzące diesle, poobijane czerwone mercedesy przykryte niebieskim płótnem. Maszyny do szycia Singera, żelazka, lodówki, miksery kuchenne, radia tranzystorowe. Wszyscy patrzyli w tym samym kierunku, na światła i cienie Tangeru pod niskim afrykańskim niebem. Rae stał z nimi bardziej zachwycony, bardziej żałosny niż oni. Czuł się wypalony i nieczysty, w podartej koszuli, z włosami pełnymi kurzu. Nos i płuca paliły go od zapachu diesla. Ten pierwszy raz ustalił pewien model. W nadchodzących latach każdemu przyjazdowi do Afryki towarzyszyło poczucie straty albo ból, cios zadany jego dumie. Znikający bagaż, noce spędzone na kwarantannie, skradzione czeki podróżne. Jakby kontynent domagał się od niego kary pieniężnej, spłaty długów duchów z przeszłości.

O latach spędzonych w Maroku opowiedział Sammar przez telefon ze Stirling. Wtedy już wyjechał z Edynburga, z domu rodziców byłej żony, pożegnał się z córką. Sammar wyczuła zmianę w jego głosie. Był lżejszy, bardziej swobodny. W Stirling miał kuzynów oraz starego wuja, którego chciał odwiedzić w domu opieki, dawno utraconego starszego brata Davida.

– Dziś – opowiadał Rae – wuj w ogóle mnie nie poznał. W zeszłym roku było lepiej. W zeszłym roku brał mnie za Davida i trochę rozmawialiśmy. To mi się podobało.

W Stirling był doktor Fareed Khalifa, nauczyciel, od dziesięciu lat mieszkający w Zjednoczonym Królestwie. Obaj zostali zaproszeni przez towarzystwo dyskusyjne jako mówcy, którzy mieli przedstawić argumenty obalające stwierdzenie: „Rządzący parlament obawia się zagrożenia ze strony radykalnego islamu".

– Powiedziałem mu: „Fareed, przegramy, wynik jest niemal z góry ustalony. Mają nawet butelkę szampana jako nagrodę dla najlepszego mówcy, więc nie sądzą, że to będziesz ty. Jeśli mniej niż osiemdziesiąt procent poprze parlament, to będzie znaczyło, że dobrze się spisaliśmy". I, Sammar, ten człowiek wyglądał na załamanego. „Jesteś defetystą – powiedział. – Ja bronię mojej wiary i będę jej bronił ze wszystkich sił". Nie bardzo mi się podobało, że zostałem nazwany defetystą – wyznał Rae.

Powiedziała mu, że jest realistą, a nie defetystą.

– Staram się nie być defetystą, jeśli chodzi o tę grypę. Noce są najgorsze, sen przynosi gorączkę i ledwo mogę oddychać na leżąco. Powinienem wracać do mojego lekarza do Aberdeen.

– Nie miałabym nic przeciwko... – zaczęła nieśmiało, robiąc przerwy – gdybyś zadzwonił do mnie w środku nocy... jeśli nie będziesz mógł spać.

Ona, która przez całe lata spała zimowym snem, teraz z trudem zasypiała. Jego głos w ciągu dnia i marzenia na jawie nocą. Marzenia, marzenia i brak snu.

Pierwszy dzwonek telefonu przebił się przez sen pełen kolorów i ludzi. Po omacku zeszła na dół, półprzytomna od snu. Miała nadzieję, że starsza pani się nie obudzi. Była druga nad ranem. Modlitwy do Wszechmocnego Allaha, żeby Lesley nie słyszała dzwonka telefonu, śpij głęboko, mocno.

– Masz taki piękny głos – powiedział. Gorączkował i mówił nieco bełkotliwie. Słowa, które uderzały jej do głowy, stając się małymi klejnotami, kolorowymi kamieniami szlachetnymi, skarbami noszonymi przy sobie.

Powiedział, że chce ją zabrać do miejsc, w których ona zapomni i przypomni sobie. Pokazać jej zakole Dee, gdzie zobaczyłaby Nil. Pokazać jej dom z płaskim dachem, latarnię morską, która wygląda jak biały minaret, zamki, w których wiele lat temu mieszkali wierni, przystosowane do klimatu. Powiedział:

– Moglibyśmy wybrać się na przejażdżkę, kiedy wrócę do Aberdeen.

Nie odezwała się. Słuchała dźwięków nocy, jego oddechu. Dawno temu, w innej części świata, istniały obawy, że ktoś zobaczy nas razem, tylko we dwoje... reputacja kobiety jest tak krucha jak zapałka... honor kobiety... Reputacja była idolem tworzonym przez ludzi, decydującym o tym, co można dać, a przed czym się powstrzymać. Honor dziewczyny... ojciec cię zabije... brat cię zbije... następnego ranka pójdziesz do szkoły – jak prędzej czy później miało to miejsce w przypadku bardziej śmiałych dziewcząt – ze spuchniętymi czerwonymi oczami, nietypowo przygaszona.

Lecz moce idola nie są nieograniczone. Obejmują miejsce, konkretną społeczność w określonym czasie. Sammar przyglądała się, jak Reputacja traci siły, kurczy się i wypala w tym odległym zakątku świata. Kiedy idole spadają z piedestału, droga do prawdy jest oczyszczona, prosta. Kto ją widział, znał ją, był z nią przez cały czas, dokądkolwiek się udała?

– Masz rację – powiedziała. – Chciałabym zobaczyć zamki, w których wierni żyli dawno temu, bezradni, a mimo to silni, latarnię morską wysoką jak minaret, dom z płaskim dachem jak w domu mojej ciotki. Ale to by było złe. Przepraszam, bardzo przepraszam.

Bała się, że się na nią rozgniewa, zniecierpliwi, znudzi. Zagryzła wargi.

– Nie przejmuj się, nie przepraszaj. Nie chciałbym, żebyś zrobiła coś, z czym czułabyś się niezręcznie.

Następnego dnia spytał ją o syna:

– Nigdy mi nie powiedziałaś, jak ma na imię.

– Nazywa się Amir, co znaczy „książę". – Pomyślała o dziecku chodzącym boso po błocie, zrzucającym zabawki z dachu jak Tariq. – Boję się go tu przywieźć. Na początku będzie mu trudno, z pogodą, i wszystkimi tymi warstwami ubrania, które będzie musiał nosić.

– Umiesz prowadzić samochód? – spytał Rae.

Dawno temu umiała. 'Am Ahmed ją nauczył, nauczył ich wszystkich, jeżdżąc z nimi po pustym placu w gorące popołudnia, kiedy Mahasen spała. Wspomnienie było żywe. Chmury pyłu i gwałtowne ruszanie.

Roześmiała się.

– Jeżdżenie tam jest inne niż tutaj. Niewiele przepisów i łatwo dostać prawo jazdy, bez żadnego egzaminu.

Wiedział, rozumiał.

– Tutaj wszystko jest nieco sztywne – przyznał. – Musi być, chociażby ze względu na liczbę samochodów, prędkość.

Sammar pomyślała o tym, jak umarł Tariq. Samochody. Prędkość i starszy pan oślepiony letnim słońcem, który popełnił fatalny błąd. Zadumała się nad tym przez chwilę. To nigdy nie miało sensu. Łagodny starszy pan oślepiony słońcem, który zabił Tariqa. Przepraszający, zapłakany mały człowiek. „A gdyby" to były syczące węże: a gdyby Tariq wyszedł minutę wcześniej, minutę później, gdyby dostrzegł tego starszego pana jadącego na niego, gdyby to był pochmurny dzień, jak tak wiele pochmurnych dni w tym mieście. „A gdyby" to były jadowite węże, szepczące. Przez lata „a gdyby" mąciły jej w głowie, podkopywały wiarę, uniemożliwiały wchodzenie po schodach.

Rae mówił o lekcjach jazdy, żeby mogła wozić syna. Mówił o kursach prawa jazdy i egzaminach. Jego głos dochodził z daleka, odpływała.

– Miałem syna w Maroku – powiedział i urwał. – Martwy płód... to chyba właściwe określenie. – Mówił i unosił ją, żeby mogła zobaczyć miejsca, których nigdy nie widziała, ludzi, których nigdy nie poznała. W jej umyśle nabierali kształtu, widziała, jak wyglądają, słyszała, jak mówią, poznawała szczegóły, które Rae podawał lub omijał.

Chris i Steve pojechali dalej furgonetką, a on został. Steve nadal pragnął Indii, Chris Anglii, obaj nie byli usatysfakcjonowani. Znalazł pracę w sklepie z rękodziełem, którego właścicielem był miejscowy uczony i jego żona Francuzka. Sklep był nazwany jej imieniem. Miała bardzo dobry gust i sklep nie miał tandetnego turystycznego charakteru. Środowisko obcokrajowców kupowało tam pamiątki i prezenty: zagraniczni dziennikarze, Marokańczycy nasiąknięci wpływami Zachodu, francuscy dyplomaci. Właściciel sklepu i jego żona zabawiali stałych klientów, a Rae obsługiwał przypadkowych kupujących, wymieniał żarówki na wystawie. Słuchał ich rozmów: Palestyna, co powiedział Fanon, co powiedział Sartre... Nasser bliżej Cieśniny Tirańskiej! Sześć dni wojny, sześć dni! Izrael zdobył Synaj, Zachodni Brzeg...

Kiedy wyrażał zainteresowanie, odważył się podzielić opinią, słuchali go chętnie. Jego pracodawca kiwał głową, paląc fajkę, korygując od czasu do czasu jakiś fakt, skłaniając do złagodzenia bardziej skrajnych przekonań. Otoczony kaligrafią, arabeską, zawiłymi wzorami, utkanymi na materiale, Rae nauczył się tego, czego nie nauczył się na uniwersytecie ani w grupie dyskusyjnej, w której się udzielał. Rzeczy ważniejszych niż gniew, ważniejszych niż zgrabnie sformułowany argument.

Ze wszystkich klientów odwiedzających sklep najbardziej interesowali go zagraniczni dziennikarze. Podziwiał ich wnikliwą wiedzę, swobodę, z jaką przychodzili i wychodzili. Chodził za nimi z jednego hotelowego baru do następnego, z jednej imprezy na drugą, aż ziewali i mówili mu, żeby szedł do domu. Dom to było mieszkanie, które dzielił z trzema pilotami Air Maroc. Przez większość czasu ich nie było i mógł samotnie chodzić boso po płytkach, siedzieć na balkonie z radiem tranzystorowym. W tych rzadkich chwilach, kiedy wszyscy trzej piloci byli w mieście, w mieszkaniu panował tłok i atmosfera imprezy albo targu. Byli jego łącznikami z mieszkańcami miasta. Razem z nimi odwiedzał kawiarnie, grał w domino, palił fajkę wodną. Chodził do meczetów, nauczył się zdejmować buty, siedzieć na podłodze ze skrzyżowanymi nogami. Piloci chętnie rozmawiali o pracy, swoim kraju, religii. Przedstawili go swoim kuzynom i przyjaciołom, lunche w domu ciotki, ślub kolegi ze szkoły. Kiedy wyjeżdżali, mieszkanie było pełne myśli Rae i trzasków BBC World Service. Srebrna antena tranzystora sterczała pod właściwym kątem, którego tak długo szukał.

Podczas gdy piloci byli jego łącznikami z miejscowymi, jego pracodawcy byli łącznikami ze środowiskiem międzynarodowym. W ciasnych kręgach ludzi mieszkających na obczyźnie społeczna integracja zajmuje tak samo niewiele czasu jak ocena nowej osoby. Ci w jego wieku i starsi zdecydowali, że im się nie podoba. Był impertynencki i nieco skryty. Brak mu było tej ujmującej prostolinijności, którą podziwiali. Nie miał tej swobody, wewnętrznej determinacji, którą preferowali. Panie twierdziły, że w cieniu czasem wygląda zupełnie jak Arab. Rae znacznie łatwiej odnajdywał wspólny język z młodzieżą dorastającą w Maroku, mniejszością wiodącą uprzywilejowane życie. Robił to, czego ci młodzi nie robili: czytał gazety, uczył się arabskiego, włóczył po świątyniach, mieszkał z Marokańczykami. To było wystarczająco wywrotowe dla tych młodych ludzi. Lubili go.

Młoda Amelia wyglądała uroczo we francuskich strojach, które prasował służący. Ojciec Amelii był Anglikiem, a matka Hiszpanką. Była jedną z najlepszych kucharek w okolicy i to było widać po jej zadowolonej córce. Wyglądała przez to na więcej niż osiemnaście lat. „Amelia jest jak Marilyn Monroe - rozmiar szesnaście", oznajmiała dumna matka swoim przyjaciołom, którzy zdecydowanie woleli sylwetki Twiggy i Mary Quant. Amelia nie wróciła do Anglii do szkoły z internatem, tak jak jej rówieśnicy, bo była za bardzo przywiązana do matki i jej potraw. Maroko było jej domem, miała go w swojej hiszpańskiej krwi, po angielsku mówiła nieco melodyjnie, co czyniło ją atrakcyjną w oczach Rae.

Rae siedział z Amelią, gdy opalała się przy basenie. Bikini z Paryża. Scenografia miała charakter kolonialny z powodu arabskich kelnerów, nieskazitelnie czystych w białych uniformach, koktajli serwowanych nad basenem.

Do wody wpadały liście, które siatką na długim drągu zbierał żałośnie wyglądający mężczyzna, w spodniach z podwiniętymi nogawkami, o statusie niższym niż kelnerzy. On, kelnerzy i Rae byli jedynymi w pełni ubranymi ludźmi. Rae miał na sobie strój w kolorze khaki. Khaki z przewagą zielonego albo brązowego to były jego ulubione kolory, jego wizerunek.

W towarzystwie Amelii Rae kręciło się w głowie od słońca i idealnego błękitu basenu. Jasna myśl przebiła się do jego głowy i podzielił się nią z Amelią. Zmrużyła oczy, orzechowe z odcieniem zieleni. Kelnerzy. Myśl dotyczyła kelnerów. Ich kobiety były zakryte, niemal niewidoczne, podczas gdy oni zarabiali na życie, podając mrożoną lemoniadę pięknościom przy basenie. Wieczorem przygotowywali koktajle, kroili cytrynę do dżinu w kolorze wody, nalewali whisky, podczas gdy kobietom nie wolno było pić alkoholu. Dlatego, powiedział Rae do Amelii, mają rozbiegane oczy, stąd te żałosne chichoty, dlatego codziennie po powrocie do domu biją swoje dzieci.

Urok Amelii po części wynikał z cichej dezaprobaty jej rodziców dla Rae. Na wieczornym przyjęciu przy tym samym basenie zespół grał *Nights in White Satin*, a Rae tańczył z Amelią, podczas gdy jej rodzice niestrudzenie obrzucali go gniewnymi spojrzeniami. Był zakochany, za granicą, a ona była w połowie Hiszpanką, egzotyczna. Przyjechał aż z Edynburga specjalnie w tym celu. A dlaczego Amelia kochała Rae? Ponieważ opowiadał o dziwnych sprawach, ponieważ palił fajkę wodną. W tym młodym Szkocie było coś arabskiego. Coś arabskiego, czego Amelia pragnęła od lat. Dorastała bowiem we wspaniałej willi rodziców, potajemnie i z poczuciem winy przypatrując się służącym, czując pociąg do ogrodnika z Fezu.

Przez rok Rae i Amelia dostarczali międzynarodowej społeczności najbardziej pikantnego tematu do plotek. Nad filiżanką kawy, przez telefon, nawet panowie w pracy dyskutowali o niespodziewanym małżeństwie, o tej głupiej dziewczynie. Głupia dziewczyna zmieniła się w chorowitą żonę. Rae zastanawiał się nad porannymi mdłościami i nie mógł ich pojąć. Trzymał włosy Amelii z dala od jej twarzy, podczas gdy ona wymiotowała bez końca do umywalki w łazience. Pieniądze martwiły Rae. Jego mózg myślał: pieniądze, pieniądze. Bolało go serce. Siedział po nocach, licząc, dodając i odejmując cyfry na poplamionych kartkach. Popadł w długi i zaczął mieć koszmary o marokańskich więzieniach. Przedtem praca w sklepie mu odpowiadała, ale teraz już nie. A co z nim, z jego karierą? Miał mgliste wizje, że zostanie analitykiem politycznym, zagranicznym dziennikarzem, jak ci, których spotykał w sklepie, podróżujących po świecie w poszukiwaniu wojny i rewolucji.

Amelii nie podobała się obecność pilotów w mieszkaniu. „Oni śmierdzą" – powiedziała i zaniosła się szlochem w ramionach Rae. Pewnego wieczoru przyszła jej matka i zrobiła scenę, krzycząc na Rae po hiszpańsku.

Z powodu mdłości Amelia nie mogła jeść niczego oprócz tego, co gotowała jej matka. Znikała z domu na całe dnie, oddając się pod opiekę rodziców w ich willi. Rae włóczył się po kawiarniach i meczetach. Jego koledzy piloci przekonywali go, że zachował się szlachetnie. Nie czuł się szlachetny, czuł, że zmarnował życie albo że to los zmarnował mu życie. Ale miał dobre intencje, przygotowując Amelii kakao, starając się wywołać uśmiech na jej twarzy. Czuł się swojsko w domowym zaciszu, czując, że nie jest sam, dzieląc się codziennością, kostką mydła, kurzem, który wciskał się do pokoju.

Niewiele rozmawiali o dziecku. Przyszedł na świat z trudem, lekko siny, bez brody, oczy o dziwnym kształcie, jak półksiężyce, skrzywiony kręgosłup. Amelii nie pozwolono go zobaczyć. Nigdy go nie widziała. Rae nigdy nie zapomniał leciutkiego okaleczonego tobołka, włosów, które były gęste i czarne, w kolorze jego włosów. Zawsze myślał, że dzieci rodzą się łyse, nie spodziewał się tylu włosów. Przez te włosy rozpłakał się w obecności rodziców Amelii, lekarza i pielęgniarki.

Smutek rozdarł ciągłość w jego życiu, na jakiś czas spalił nawet pragnienie słuchania World Service. Kiedy Amelia dochodziła do siebie w szpitalu, z czerwonymi oczami szukał towarzystwa swoich znajomych pilotów. Ich obecność go uspokajała. Mówili do niego, ale nie potrafił słuchać, pojąć, wystarczały mu ich głosy. To, co mówili: że dzieci, które umierają, wstawiają się za swoimi rodzicami. Stoją u bram raju i odmawiają wejścia tam bez matki i ojca, dopominają się o ich obecność, a Allah spełnia ich życzenie.

W szpitalu Amelia cierpiała z powodu zastrzyków, które dostała, żeby przestać wytwarzać mleko, z powodu szwów i uczucia, że cały ten ból był na marne. Żałowała figury, którą kiedyś miała, szczęśliwego życia złożonego z pływania i przyjęć. Obwiniała Rae, fizycznie nietkniętego Rae. Jej matka obwiniała Rae. Wszystko, co go dotyczyło, było niewłaściwe. Jej ładna córka mogła znaleźć kogoś dużo lepszego. Dużo, dużo lepszego. Ale nie było jeszcze za późno, myślała sobie sprytna matka, to, co stało się z dzieckiem, może wcale nie było takie złe. Jeżeli podejmie zdecydowane kroki, może zakończyć to głupie małżeństwo. Zapewniła sobie pomoc pracodawcy Rae. Uczony badacz dumał i pykał fajkę. Poradził Rae, żeby zrezygnował, wyjechał, wrócił do domu i na studia. Amelia powiedziała: „Już cię nie chcę".

W nadchodzących latach w życiu Amelii nastąpił zwrot i los podarował jej Walijczyka, parterowy dom w Gwenyd, córki i synów. Została doskonałą kucharką, jak jej matka, i założyła własną firmę cateringową. Rae wrócił do studenckiego życia, porzucił plany o pozostaniu zagranicznym dziennikarzem. Być może odkrył, że pod ich światową maską kryją się ograniczone horyzonty, brak współczucia dla Maroka. Był zbyt ciężki jak na ich globtroterski świat, zbyt głęboki. On kochał idee i słowa. „Marksistowski", „strategiczny". „Wojna partyzancka", „opór". „Nacjonalizm". „Rewolucja". *Coup d'état.*

Sammar siedziała z głową na kolanach. Myślała o tym milczącym dziecku, Europejczyku pochowanym w afrykańskim piasku. Powiedziała:

– Jak możesz lubić miejsce, odwiedzać je, studiować jego kulturę i historię, chociaż przytrafiło ci się tam coś tak strasznego?

Milczał.

Wreszcie się odezwał:

– Ponieważ było dla mnie zdrowe jak lekarstwo. Sprawiło, że stałem się mniej twardy. I nauczyłem się rzeczy, których nie nauczyłbym się z książek. Tak jak ty.

Nie zrozumiała

– Co ze mną? – zapytała.

A on odpowiedział:

– Sprawiasz, że czuję się bezpieczny. Czuję się przy tobie bezpieczny.

7

Sammar szła do pracy ubrana w nowy płaszcz, świadoma tego, jaki jest czysty, a wełna niespłowiała ani nieprzetarta. Widziała swoje odbicie w wystawach sklepowych, kolor płaszcza w odcieniu czerwonej henny, kołki zamiast guzików. Czuła się tak jak wtedy, gdy była młoda, pierwszego dnia Eid: nowa sukienka, nowe skarpetki, nowa wstążka we włosach. Na przejściu dla pieszych, kiedy czekała, aż zmienią się światła, zdjęła rękawiczkę i włożyła rękę do kieszeni, żeby poczuć świeżą jedwabistość podszewki. Zielony ludzik, dźwięk alarmu, i przeszła przez ulicę, zakładając rękawiczkę. Było za zimno na gołe palce, styczniowy chłód, chociaż dzień był łagodny jak na tę porę roku, i postanowiła pójść pieszo, zamiast jak zwykle jechać autobusem. Przekonała się szybko, już podczas pierwszego roku, w którym przyjechała tu z Tariqiem, że zimowe słońce w tym mieście jest zimniejsze niż zimowe deszcze. Wiele razy, zanim przyswoiła sobie tę lekcję, widziała przez okno jasne słońce, czuła jego ciepło przez szybę i wychodziła lekko ubrana, a potem trzęsła się, nic nie rozumiejąc, cierpiąc jak każdy nieodpowiednio ubrany Afrykanin cierpi w obcym mu brytyjskim chłodzie.

Wokół wciąż widać było pozostałości świątecznej atmosfery, lampki bożonarodzeniowe, których jeszcze nie zdjęto. Brak uczniów, brak pań z lizakami, semestr jeszcze się nie rozpoczął. Sammar wiedziała, że kiedy dotrze na uniwersytet, będzie cichy i uśpiony, ponieważ studenci zjadą się dopiero w przyszłym tygodniu. Będzie chodziła po korytarzach, spotykając tylko innych pracowników i pojedynczych doktorantów. Sale wykładowe będą ciemne i ciche, biblioteka pozbawiona zwykłej krzątaniny. Spotka Rae i nie będzie tak zajęta, jak podczas semestru. Zapyta go o jego przeziębienie - kiedy rozmawiali po raz ostatni, kaszlał bardziej. Pokaże jej pracę doktorską z uniwersytetu Azhar, nad którą chciał, żeby zaczęła pracować, ona da mu książkę o hadisach *qudsi* i wciąż będzie dużo czasu. Może będą mogli porozmawiać tak, jak rozmawiali przez telefon, ona powie to, co zawsze chciała powiedzieć, a on nie będzie zdziwiony. Wysłucha jej, a potem opowie o miejscach i ludziach, których nie mogła znać, i sprawi, że ona poczuje, iż potrafi tych ludzi zrozumieć, zrozumieć, że w jakiś sposób coś ją łączy z jego opowieściami. Może mogliby porozmawiać w jego biurze tak, jak rozmawiali przez telefon? Nie policzyła, ile razy do niej zadzwonił podczas Świąt, nie liczyła, ile czasu trwały ich rozmowy. Powstrzymała się. I przestała sama siebie pytać, dlaczego do mnie dzwoni, co się wydarzy, co to wszystko znaczy?

Zaczęto otwierać sklepy. Sammar przeszła obok kiosku, sklepu sportowego, sklepu rybnego, piekarni. Sklep spożywczy, sprzedający mięso *halal**, był zamknięty, otwierano go później. Czasem wstępowała tam w drodze do domu. Kiedy bengalski właściciel sklepu porcjował kurczaka na tyłach, ona czekała przy ladzie, w małym obskurnym lokalu, otoczona workami suszonych warzyw, puszkami z odległych miejsc, zapachem przypraw i azjatyckimi gwiazdami filmowymi na ścianach. Kupowała sos chili i puszki fasoli, składniki napisane były po arabsku, pakowane w ciepłym miejscu na innym kontynencie. Paczuszka z mieszanką do falafela wyprodukowana w Aleksandrii.

Minęła sklep obuwniczy, sklep z sukniami ślubnymi i bielizną. Zimowe okazje, styczniowa wyprzedaż, duże czerwone napisy, za pół ceny, trzydzieści procent zniżki, Największa Wyprzedaż w Historii. Wczoraj była jedną z osób szukających okazji. Poprzedni dzień był pracowity. Rano, kiedy się obudziła, spojrzała innym okiem na swój pokój, szpitalną salę. Zobaczyła brzydkie zasłony, spraną narzutę na łóżko. Otworzyła szafę i szuflady i znalazła w nich rozciągnięty elastik, znoszony nylon i niechlujne buty ze startymi obcasami. Trzymała te rzeczy w rękach, jakby widziała je po raz pierwszy. Wystrzępiona wełna, wyblakła bawełna, nawet jej szale, jedwabie na jej włosy, które zawsze starannie wybierała, były wyblakłe i wytarte. Od śmierci Tariqa nie kupiła niczego nowego. Nie zauważyła przemijania

---

* *Halal* – w islamie określenie czynów i rzeczy, które są dozwolone w świetle szariatu.

czasu, lat niszczących ubrania, w których widział ją Tariq, wełny, której dotykał, kolorów, o których mówił.

W aneksie kuchennym stała mała lodówka, kuchenka elektryczna, stół wykorzystywany jako biurko. Tam z kolei zobaczyła spleśniały chleb, spleśniały zielony ser, sałatę, która pociemniała i stała się ciężka, dawno po terminie przydatności. W tej części świata rzeczy nie mają zapachu. Gdyby była w domu, nie mogłaby tego tak długo zaniedbać, a mrówki i karaluchy nie dałyby jej spokoju. Udko kurczęcia sprzed trzech miesięcy leżało w lodówce i wyglądało jak kawałek gumy. Tylko z antycznego wręcz ogórka wypłynęła plama substancji przypominająca toffi, ale nadal nie wydzielał zapachu. Sammar przez lata jadła taką żywność, odcinając dobre kawałki i nie kwestionując tego, co robi, jakby jej wzrok spowijała mgła, wszechobecna senna ociężałość. Teraz rozejrzała się po sali szpitalnej i powiedziała do siebie: „Nie jestem taka. Jestem lepsza niż to".

Duże czarne torby, pakowanie, składanie i wkładanie rzeczy do torby. Tak jak wtedy, kiedy zmarł Tariq i pozbyła się wszystkiego, mylnie zakładając, że nigdy nie wróci do Aberdeen. Teraz jednak nie było żalu, nie było uczucia palenia w głowie i piersi, pracowała spokojnie, decydowała, co chce zatrzymać, a czego nie. Nie trwało to długo. To było łatwe. Potem posprzątała: umyła podłogi i ściany, okna i lodówkę, zrobiła porządek w szafie i szufladach. Sprawiła, że wszystko pachniało mydłem, i otworzyła okna, żeby umyć życie lodowatym deszczem. Zdjęła zasłonę i zaniosła poduszkę i koc do pralni samoobsługowej.

Dziwnie było wchodzić do dużych domów towarowych z jasnymi światłami i zapachem perfum, tłumami ludzi szukających okazji. Była zadowolona, że w sklepach jest tłok. W cichych sklepach, gdzie sprzedawczynie miały czas, żeby zapytać: „Czy mogę w czymś pomóc?", czuła się zagubiona. Kupując płaszcz, mogła wybierać między fasonami i kolorami. Jeden płaszcz, który jej pasował, gdy go przymierzyła, miał złote guziki, ich kolor i chłodny dotyk przypomniał jej ciotkę. W przymierzalni, z lustrami za nią i przed nią, zbyt dużo odbić jej samej. Zatęskniła za ciotką, nagle i boleśnie, żałowała, że nie są razem, że nie może jej objąć, że nie mogą być blisko, być przyjaciółkami jak w latach przed śmiercią Tariqa. Jednak Sammar nie kupiła płaszcza ze złotymi guzikami, chociaż wiedziała, że jej ciotka by go wybrała, a zawsze miała doskonały gust, wyrocznia. Kupiła budrysówkę z pętelkami i gładkimi brązowymi kamieniami zamiast guzików. Kiedy zapłaciła i wyszła ze sklepu, wyjęła ją z dużej reklamówki z czerwonym napisem WYPRZEDAŻ i od razu włożyła, zrywając metki, wpychając stary płaszcz w jej miejsce.

– Ma pani piękną cerę – powiedziała rezolutna sprzedawczyni na stoisku z kosmetykami. Miała grubą warstwę tuszu na rzadkich rzęsach. Stukała w słoiczki i buteleczki z emulsjami długimi paznokciami w kolorze fuksji.

– Och... dziękuję.

– To nie będzie pani potrzebne – ciągnęła sprzedawczyni, unosząc delikatną dłoń nad emulsjami i kremami w fioletowych opakowaniach. – To. – Wzięła do ręki buteleczkę z żółtą emulsją. – Proszę spróbować tego.

Sammar przechyliła butelkę i rozsmarowała trochę emulsji na wierzchu dłoni.

– Maluje się pani?

– Nie... kiedyś tak...

– Bo jeśli kupi pani krem nawilżający, mydło i toner, dostanie pani w prezencie zestaw ze szminką, różem i cieniem do powiek. To oferta specjalna. – Paznokcie w kolorze fuksji pokazały tabliczkę stojącą na ladzie. *Oferta specjalna* – napisane czerwonym kolorem z obrazkiem zestawu podarunkowego, większego niż w rzeczywistości.

Sammar nie malowała się ani nie perfumowała od śmierci Tariqa, cztery lata temu. Cztery miesiące i dziesięć dni, tyle zgodnie z prawem szariatu wynosi okres żałoby dla wdowy, czas przeznaczony tylko dla niej, czas, który musi minąć, zanim będzie mogła znowu wyjść za mąż, znów podkreślić urodę. Cztery miesiące i dziesięć dni. Sammar pomyślała o tym, o czym często myślała, o tych czterech miesiącach i dziesięciu dniach, tak precyzyjnie określonym czasie, nie za krótkim i nie za długim. Pomyślała, że szaria Allaha była łagodniejsza i bardziej zrównoważona niż zasady, jakie ludzie ustalają sami dla siebie.

Kupiła nowe zasłony do pokoju. Kiedy je powiesiła, zmieniły pokój, zmieniły w nim światło. Kolorowe reklamówki i opakowania rozrzucone na podłodze, nowe szale rozłożone na łóżku sprawiły, że przestała to być szpitalna sala. Potem, patrząc na zasłony, ich jasny pomarańczowo-niebiesko-

-brązowy wzór, zdała sobie sprawę, że są podobne do zasłon, jakie opisał jej Rae, zasłon, które wisiały w jego starym domu z widokiem na Dee. Nieświadomie wybrała te kolory, te same kolory, o których rozmawiali. Teraz miała w głowie jego słowa, unoszące się, nieznikające. W nocy nie śniła już o przeszłości, ale o deszczu i szarościach jego miasta. Śniła o teraźniejszości. Śniła o Lesley informującej, że telefon w korytarzu już nie działa. Śniła, że ona, a nie Amelia nosi martwe zdeformowane dziecko. Ciążyło w jej wnętrzu i chciała się go pozbyć. Ale w jej śnie była ciotka, mówiąca: to jeszcze nie twój termin, nie czas na poród. Ciotka nie wiedziała, że dziecko jest martwe, tylko Sammar wiedziała, bo Rae jej powiedział. Nie była smutna, czuła ciężar dziecka ciągnący w dół i ból był znajomy, niebudzący strachu, nie nieprzyjemny. Wiedziała, że ciotka się myli i że nadszedł czas i nie powstrzyma się przed wypchnięciem dziecka.

Sny były dla niej dobre, piekły jak środek dezynfekujący. Zebrała się na odwagę, żeby zadzwonić do szkoły jazdy i umówić się na pierwszą lekcję. Instruktorka, duża energiczna kobieta o siwych włosach, zabrała ją na pusty odcinek drogi niedaleko parku Hazelhead. Sammar przypomniała sobie to, czego nauczył ją ‘Am Ahmed, zmienianie biegów, przyjemny dźwięk, jaki wydawał zaciągany hamulec ręczny. Potem jednak, kiedy wyjechały na bardziej ruchliwą ulicę, panikowała za każdym razem, gdy z przeciwnej strony nadjeżdżał samochód. Kuliła się na widok zbliżającego się pojazdu, skręcała kierownicę w lewo i instynktownie recytowała *shahadah: Zaświadczam, że nie ma innego boga oprócz Allaha...* gdy instruktorka wyciągała rękę, żeby ustabilizować kierownicę. Kiedy Rae zadzwonił do niej w ten wieczór po pierwszej lekcji, płakała.

– Wszystko zapomniałam, nigdy się nie nauczę, nigdy nie zdam egzaminu na prawo jazdy.

Roześmiał się i powiedział:

– Oczywiście, że się nauczysz, wszystko ci się przypomni. Nie mów, że jesteś głupia, nie jesteś głupia.

Mówił pocieszające słowa, podczas gdy łzy sprawiały, że słuchawka ślizgała jej się w ręku.

Sammar szła do pracy znajomymi ulicami. Wiedziała, gdzie jezdnia przechodzi z asfaltowej w kocie łby. Z czasem nawet niektóre twarze stały się znajome. Lata temu te same ulice były labiryntem kulturowego szoku. Rzeczy, które ją uderzały: kolczyk w uchu mężczyzny, kobieta wyprowadzająca psa na tyle dużego, że połknąłby niemowlę, a jednocześnie pchająca dziecięcy wózek, wielkie bilboardy przy drogach: Wonderbra, reklamy papierosów, które jednocześnie mówiły ludziom, żeby palić i nie palić, klub nocny Ministry of Sin, mieszczący się w dawnym kościele. Teraz Sammar nie zauważała tych rzeczy, nie wpatrywała się w nie zatrwożona, jak przed laty. Przez lata jej oczy się znieczuliły i przekonała się, stopniowo, czując ulgę, że nie jest sama, że nie wszyscy wierzą w to, co mówią billboardy, nie każdy rozumie, dlaczego ta kobieta trzyma w domu tak wielkiego, groźnego psa.

8

W kampusie panował spokój, tak jak się spodziewała, na parkingu stało niewiele samochodów, żadnych studentów na wydziale. Pokój Sammar mieścił się na ostatnim piętrze, z oknem wychodzącym wprost na niebo. Lubiła go, bo przez okno wpadało słońce. Dzieliła go z Diane, jedną z doktorantek Rae. Ku zdumieniu Sammar, pokój był otwarty, światło zapalone, a Diane ślęczała nad jakimiś faksami, otoczona typowymi dla niej akcesoriami: długopisami, dietetyczną colą, batonikami Yorkie i kanapkami z szynką i korniszonem.

– Myślałam, że cię nie będzie. Miło cię widzieć. – Sammar powiesiła płaszcz na haczyku za drzwiami. – Co się stało? Nie pojechałaś do domu?

W przypadku Diane domem było Leeds.

– Pojechałam, ale wróciłam wczoraj wieczorem. – Patrzyła na Sammar, opierając twarz na ręce.

– Wyglądasz na zmęczoną.

– Za dużo nieprzespanych nocy, za dużo imprez.

Diane uśmiechnęła się, zdjęła okulary, pociągnęła nosem i położyła głowę na biurku. Miała proste blond włosy, które teraz opadły i ześlizgnęły się na kartki leżące na biurku. Bez okularów wyglądała młodziej i mniej poważnie. Sammar wiedziała, że Diane jest młoda, prawie osiem lat młodsza od niej, i taka niezależna w porównaniu z tym, jaka Sammar była w jej wieku. Niezależna i stanowiąca kolejne źródło szoku kulturowego, który z czasem nieco osłabł. „Kupiłam mamie majtki na gwiazdkę", „...poznałam go w pubie", „...prawie nikt nie pojawił się na wykładzie Rae dzisiaj rano, wczoraj wieczorem była niezła popijawa", „...zdecydowanie nie chcę mieć dzieci. Nigdy nie wyjdę za mąż". Diane często powtarzała ostatnie zdanie, była o tym głęboko przekonana. Gdyby Sammar mieszkała w ojczyźnie, a Diane była jedną z jej przyjaciółek, zareagowałaby na to: „Oszalałaś? Chcesz przez całe życie żyć w celibacie?!". I obie zaczęłyby się śmiać. Tutaj powiedziała tylko cichym głosem:

– Może kiedyś zmienisz zdanie i wyjdziesz za mąż.

– Wyjeżdżałaś dokądś? – spytała Diane.

– Nie. – Sammar miała jednak uczucie, jakby odbyła daleką podróż, daleką podróż do miejsca, w którym czuła się zadowolona. Włączyła komputer na swoim biurku, wcisnęła guzik na monitorze i ekran zamigotał. Komputer zaczął sprawdzać pamięć. – Wyjeżdżam na początku przyszłego miesiąca. Jadę do Kairu, a potem do Chartumu, i przywożę ze sobą syna.

Diane założyła okulary i patrzyła na nią zaspanymi oczami. Ziewnęła.

– Czy to duży problem przywieźć tu syna? Imigracja i te sprawy...

– Nie, on się tutaj urodził. Tak samo jak ja.

– Naprawdę? Nie wiedziałam.

– Nigdy o tym nie wspominałam? Wtedy mój ojciec tutaj studiował. Dlatego dostałam brytyjski paszport. Teraz zmienili prawo, ale wtedy każdy, kto urodził się w Wielkiej Brytanii, miał prawo do paszportu. Dlatego przywiezienie syna nie jest problemem.

Diane wyglądała na rozczarowaną, jakby oczekiwała narzekań na niesprawiedliwość Ministerstwa Spraw Wewnętrznych.

Gdyby nie paszport, Sammar nie byłoby teraz tutaj. To dlatego, że powrót i życie w Wielkiej Brytanii było możliwe, wsiadła do samolotu po kłótni z ciotką, sprzedała swoje złote bransoletki, żeby mieć na bilet w jedną stronę. Wybrała Aberdeen, bo łączyło ją z Tariqiem, oraz dlatego, że pracowała tymczasowo na tutejszym uniwersytecie i istniała szansa, że znów ją zatrudnią. Miała szczęście. Potrzebowano tłumaczy z arabskiego na angielski, konkurencja była niewielka. Jej los został zdeterminowany przez prawo, które dało jej brytyjski paszport, moment, w którym popyt na tłumaczy z arabskiego na angielski przewyższał podaż. Nie, przypomniała sobie, to nieprawda. Mój los determinuje Wszechmocny Allah: czy i kogo poślubię, co jem, pracę, jaką zdobywam, moje zdrowie, dzień, w którym umrę, wszystko to wygląda tak, jak On chce. Myśleć, iż jest inaczej, oznaczało upadek, uczucie, że świat się kurczy, robi posępny i ciasny.

Przejrzała pliki i kliknęła myszką na ten, który chciała otworzyć. Diane mówiła o tym, jak widziała Rae ostatni raz, zanim wyjechała do Leeds.

– ...w nie najlepszym nastroju. Chciałam, żeby dał mi jakieś papiery, a on powiedział: „Możesz je znaleźć w bibliotece, ja ich nie mam". A wiem, że ma. A potem usłyszałam od niego tylko wykład o tym, że biblioteka nie jest zamknięta przez wszystkie dni Świąt.

Sammar się uśmiechnęła, a Diane jęknęła i położyła głowę na biurku.

– I dał mi to. – Machnęła Sammar przed oczami esejem studentki z przyklejoną żółtą karteczką. Sammar poznała charakter pisma Rae: *Diane, czternaście to zdecydowanie zbyt wspaniałomyślna ocena dla eseju z tak kiepską bibliografią*. Diane prowadziła seminarium w jednej z grup licencjackich i czasem musiała oceniać prace studentów.

– A ile punktów powinnaś jego zdaniem przyznać? – zapytała Sammar.

– Nie więcej niż jedenaście. – Diane zaczęła odwijać kanapkę z papieru.

– Ale jedenaście wystarczy, żeby zaliczyć, tak?

– Chciałam ją zachęcić. Czternaście byłoby właśnie taką zachętą, ale ten sukinsyn jest strasznie czepialski.

– Może zechce go napisać jeszcze raz?

– Nie zrobi tego, po prostu zgodzi się na jedenaście punktów.

Diane rzuciła esej na biurko i jedząc kanapkę, pochyliła się nad swoją robotą.

Sammar cieszyła się, że Diane wróciła. Nie lubiła być sama i zawsze cieszyło ją, kiedy Diane wspominała Rae. Tak samo jak wtedy, gdy mówiła o nim Yasmin, tylko że Diane była spontaniczna i pozbawiona podejrzeń, podczas gdy Yasmin zaczęła ostatnio krzywić się z dezaprobatą za każdym razem, kiedy Sammar pytała ją o Rae, rzucając ostro: „Spodziewasz się, że zostanie muzułmaninem, żeby móc się z tobą ożenić?". Sammar zastanawiała się, czy Yasmin wróciła z Manchesteru, dokąd pojechała z Nazimem w odwiedziny do jego rodziców. Potem, wychodząc do domu, wstąpi do Rae, żeby zobaczyć, czy wrócił, minie sekretariat i sprawdzi, czy Yasmin też już jest.

Po południu poszła się pomodlić do małego uniwersyteckiego meczetu, pomieszczenia oddanego do dyspozycji muzułmańskich studentów. Był w innym budynku, starszym i piękniejszym niż nowoczesna budowla, w której mieścił się jej wydział. Okazało się, że w sali jest ciemno i pusto. Zapaliła światło, zdjęła buty, czując się dziwnie w przestronnym pomieszczeniu z wysokim sufitem. Kiedy w czasie roku akademickiego było tu tłoczno, wszyscy po prostu modlili się na dywanie, ale teraz wzięła jedną z mat, które leżały zwinięte na półce, i ją rozłożyła. Była niebieska, bardziej pluszowa niż ta, którą miała w domu, i widniał na niej obrazek Kaaby pod granatowym niebem. Modlitwa w grupie przynosi więcej spełnienia niż w samotności. Kiedy modliła się z innymi, łatwiej było jej się skoncentrować, odnaleźć stabilność serca dzięki wsparciu ludzi, którzy podzielali jej wiarę. Teraz stanęła samotnie pod wysokim sklepieniem historycznego college'u i zaczęła się modlić. *Cała chwała przynależy Allahowi, Panu Wszelkich światów, Współczującemu, Litościwemu...* Pewność tych słów przyniosła niespodziewane łzy, coś głębszego niż szczęście, wszystkie drzazgi w jej wnętrzu składające się w całość.

Kiedy skończyła się modlić, przeczytała ogłoszenia na tablicy informacyjnej: godziny modlitw, terminy spotkań grupy interreligijnej, wykład o Jeruzalem specjalnego gościa, który miał przyjechać z St. Andrews.

Szła do swojego pokoju przez mokre ogrody kampusu. Przebywanie na zewnątrz, na świeżym powietrzu, stanowiło przerwę w pracy. Było zimniej niż rano. W dni, kiedy Diane nie było, Sammar modliła się w pokoju, zamykając drzwi od wewnątrz. Miała stary szal, który trzymała w szufladzie biurka i wykorzystywała jako dywanik do modlitwy. Kiedy przyjechała tu po raz pierwszy, cała ta prywatność otaczająca modlitwę wydawała jej się dziwna. Była przyzwyczajona do widoku ludzi modlących się na chodnikach i na trawie. Była przyzwyczajona do modlitwy podczas przyjęć, w miejscach, gdzie inni gawędzili, spali albo czytali. Ale teraz, mieszkając w tym mieście od wielu lat, potrafiła zrozumieć, jak bardzo ludzie by się zdziwili, gdyby za rogiem natknęli się na kogoś dotykającego ziemi czołem, nosem i dłońmi. Zastanawiała się, jak czułby się Rae, gdyby kiedyś zobaczył, jak ona się modli. Czy czułby się przy niej obco? Różnica między nimi zostałaby podkreślona, zaznaczona, czy też wydawałoby mu się to czymś, co sam chciałby robić?

Wyłączyła komputer i w pokoju ucichło monotonne buczenie, wypełniające go przez cały dzień. Diane siedziała w bibliotece. Sammar była gotowa, żeby iść do domu i przejść obok gabinetu Rae, ale wciąż siedziała. Może będzie się zachowywał inaczej niż przez telefon, będzie chłodniejszy, bardziej oficjalny, zajęty swoimi sprawami. Może sposób, w jaki rozmawiał z nią przez telefon, miał coś wspólnego ze Świętami? Te ciemne Święta w środku zimy, kiedy wszystko jest pozamykane, a dni najkrótsze w całym roku. Dni, które odrywały się od normalności, były furtką do czegoś więcej niż zwykle.

Diane otworzyła drzwi ramieniem i weszła, niosąc dwa batoniki Yorkie i paczkę czipsów.

– Właśnie widziałam Yasmine w stołówce. – Rzuciła przekąski na biurko.

– A więc wróciła.

– Teraz ma już bardzo duży brzuch. – Diane usiadła i przekręciła się na obrotowym krześle.

– Naprawdę? – Sammar się uśmiechnęła, a potem powiedziała: – Nie, dziękuję – ponieważ Diane poczęstowała ją batonem Yorkie.

– Powiedziała, że Rae jest w szpitalu.

Ból pojawił się w konkretnym miejscu, w górnej części żołądka.

– Dlaczego?

Diane otworzyła paczkę czipsów. Pokój wypełnił zapach sera i cebuli.

– Podobno z Foresterhill zadzwoniła jakaś pielęgniarka i powiedziała, że miał bardzo ciężki atak astmy i trzymają go tam, bo ma też zapalenie oskrzeli. Więc szykuje mu się niezły początek nowego roku. Nie wiem, kto przejmie jego grupy w przyszłym tygodniu, jeśli do tego czasu nie wróci. Yasmin chyba uważa, że nie będą go długo trzymali.

Sammar wpatrywała się w dywan, w zagłębienie, w którym kiedyś stała noga krzesła. Kaszlał przez telefon, kaszlał i mówił, że ma gorączkę, a ona nie domyśliła się, że to coś poważnego. Gdyby Diane nie powiedziała: „Szykuje mu się niezły początek nowego roku", gdyby nie wypełniła pokoju zapachem sera i cebuli, może wtedy nie zabolałoby ją to tak bardzo lub nie poczułaby mieszaniny złości i bólu. Chciała powiedzieć: „Nie potrafisz się zachować, jesteś nieuprzejma. Kiedy ktoś się rozchoruje, kiedy pojawiają się złe nowiny, są słowa, które trzeba powiedzieć, wyrazy współczucia, dobre życzenia dla tej osoby. Kiedy jest to ktoś starszy od ciebie, twój profesor, ktoś, kto ci pomaga, wtedy winna jesteś podwójny szacunek. Nie taka bezduszna. Nie jesteś dzieckiem, żeby być taka bezduszna". Zacisnęła zęby. Nie odzywaj się, nakazała sobie. Nie wolno ci tak mówić. Czuła krew napływającą do nosa, jakby zaraz miała dostać krwotoku. Chciała tego, cichego odgłosu kleistej krwi zbierającej się i wypływającej z nosa.

– Idę do domu – powiedziała, włożyła płaszcz i wzięła torbę. – Na razie.

– Do zobaczenia.

Kiedy zamknęła za sobą drzwi, z nosa popłynęła ciecz, ale była czysta jak łzy. Schodami w dół, na ulicę, do autobusu, mówiła sobie, że przesadza, że to niepotrzebne. Za tydzień lub dwa wszystko będzie w porządku. Zapalenie oskrzeli to nic strasznego. Trzęsła się na oświetlonych ulicach, w autobusie, który jechał zbyt wolno, stał za długo na światłach, cierpliwie pozwalał, żeby ludzie wsiadali do niego i wysiadali. Zwyczajne życie, zwyczajny dzień. Pasażerowie wydawali jej się nadludźmi, ludźmi nieobarczonymi cierpieniem. Nie chciała płakać w autobusie, na ich oczach.

Włożyła klucz do zamka. Głośna muzyka, heavy metal. Wróciła część lokatorów, skończyła się przerwa świąteczna. List od ciotki, kolorowe afrykańskie znaczki wilgotne od europejskiego deszczu. Poczta ospała w Święta, teraz działała normalnie. Włożyła nieotwarty list do torby i weszła po schodach. Jej pokój nie był już salą szpitalną: były nowe zasłony, nowa narzuta na łóżko. Nie wolno jej płakać. Nad czym tu płakać? Mów do siebie. Nie bądź niemądra. Muzyka docierała z dołu przez podłogę. Zgrzytliwa, gniewna. Skąd u nich ta złość? Nie potrafiła zrozumieć. Musi uciec od tej muzyki. Wiedziała, dokąd pójdzie. Mów do siebie. Przestań płakać, nad czym tu płakać? Będziesz miała czerwone oczy. Zobaczy cię, a twoje oczy będą brzydkie i czerwone.

9

Foresterhill był rozległym kompleksem budynków szpitalnych. Poprzecinany ulicami, pełen samochodów i autobusów, parkingów, przystanków autobusowych, ogrodów i placów zabaw dla dzieci. Znajdowała się tam szkoła medyczna, gdzie Tariq przygotowywał się do egzaminów, szpital położniczy, w którym Sammar urodziła Amira. Był też oddział nagłych wypadków – tam Tariq zmarł w słoneczny dzień, a ona czekała, aż przyjdzie ktoś z meczetu, podczas gdy Amir wędrował korytarzami, dotykając wszystkiego, bawiąc się gaśnicą, aż wzięła go na ręce, potrząsnęła nim i wysyczała: „Żałuję, że to nie ty, tak łatwo cię zastąpić". Ale wywinął jej się, zbyt mały, żeby zrozumieć, zbyt pogodny, żeby zaniepokoił go jej gniew. A ona została z poczuciem winy, brudnym jak metal.

Sammar brnęła do szpitala. Tak się czuła, mimo iż jechała ciepłym autobusem, nie szła pieszo, nie biegła, nie wysilała się. Nie wolno jej myśleć o ostatnim razie, kiedy tu przyszła. Wtedy było inaczej, wtedy było słońce, lato, a ona przyszła w sandałach, pchając wózek z Amirem. Teraz jechała autobusem, sama, a za oknem panowały zimowe ciemności, przenikliwy chłód. Dlaczego jedzie odwiedzić Rae? Jeśli będzie spał, to czy posiedzi na krześle, słuchając jego chrapania? A jeśli jest bardzo chory, czy zirytuje go jej obecność, to, że widzi go takim, naruszając jego prywatność? A jeśli spojrzy na nią zdumiony, pytając wzrokiem, co ona tu robi?

Powinna wrócić do domu. Powinna wysiąść z autobusu na następnym przystanku, przejść na drugą stronę ulicy i złapać autobus jadący w przeciwnym kierunku. Chcąc dodać sobie otuchy, posunęła się do podstępów. Możesz go odwiedzić innego dnia, powiedziała sobie, kiedy wydobrzeje. Może Yasmin z tobą przyjdzie, a nawet Diane (z jakiegoś powodu wątpiła w to), w takim razie inni studenci, ta Algierka, wtedy będzie to bardziej na miejscu, koledzy z pracy, przychodzący go odwiedzić. Wtedy to będzie wyglądało naturalnie. Powiedziała sobie: Nie ma nic złego w przyznaniu, że zachowałaś się pochopnie, przyjeżdżając tu, żeby się z nim zobaczyć. Właściwie mądrzej jest przyznać się do błędu i wycofać, niż uparcie przeć do przodu. Więc na następnym przystanku autobusowym wysiądź. Wstań i idź do drzwi, żebyś mogła wysiąść od razu, gdy tylko drzwi się otworzą. Lecz autobus mijał jeden przystanek za drugim, a ona nadal siedziała, brnąc do Foresterhill.

Autobus zatrzymał się przed szpitalem, automatyczne drzwi otworzyły się ze świstem. Tak wolno podnosiła się z siedzenia, że drzwi zaczęły się zamykać. Uderzyły ją w ramię, znów się otworzyły i w tylnym lusterku zobaczyła niezadowoloną minę kierowcy, który mruknął coś pod nosem.

Szklane drzwi, które trzeba pchnąć, żeby dostać się do budynku. Najcięższe szklane drzwi na świecie. Miała obolałe ramię. W holu był sklep z upominkami: pluszowe zabawki, kwiaty, a także sklep z gazetami i słodyczami. Windy na różne oddziały. Nagle zdała sobie sprawę, że nie wie, na którym oddziale leży Rae. Temu odkryciu towarzyszyło uczucie ulgi. Jeśli go nie znajdzie, to będzie znak, że nie powinna była przyjeżdżać, i przekonana o tym, odejdzie. Jeśli znajdzie jego oddział, zapyta, czy czuje się na tyle dobrze, żeby przyjmować gości, jeśli nie, odejdzie, nie zostawiając nazwiska. Jeśli śpi, odejdzie, zanim się obudzi. Poczuła się lepiej. Wszystko sobie poukładała.

– Chcę kogoś odwiedzić, ale nie wiem, na którym oddziale leży – powiedziała do pielęgniarki w recepcji. Pielęgniarka zapytała ją, czy to mężczyzna czy kobieta, co mu dolega, kiedy został przyjęty, jak się nazywa. Sprawdziła na czymś, co wyglądało jak wydruki komputerowe, i podała Sammar numer sali.

– Czy on czuje się na tyle dobrze, żeby przyjmować gości? – Szeroko otwarte oczy.

– Będzie pani musiała zapytać na oddziale. Powiedzą pani. – Zniecierpliwiony uśmiech.

Na windy czekało sporo osób. Niedaleko wind stała choinka, a w kawiarni nieopodal był tłok, ludzie pili i jedli. Inni siedzieli na kanapach, rozmawiając i czytając gazety.

Ten zgiełk przypominał Sammar lotnisko. Trudno było uwierzyć, że w tych murach cierpią ludzie.

Na oddziale podała pielęgniarce swoje nazwisko. Pielęgniarka miała młodą ładną twarz i jasne niebieskie oczy. Była tak chuda, że jej brzuch, opasany szerokim czerwonym paskiem, stanowiącym część jej stroju, wyglądał na wklęsły.

– Jest tutaj, piąte łóżko po prawej. – Pielęgniarka wskazała palcem w głąb sali, ale Sammar nie patrzyła, co pokazuje.

– Czy czuje się na tyle dobrze, żeby go odwiedzić?

– O tak, czuje się dobrze. – Zdziwienie w oczach pielęgniarki.

Pielęgniarka stała przy niej przez chwilę, aż wreszcie Sammar zaczęła się oddalać od tego wyrazu zdziwienia. Głowa spuszczona, oczy spuszczone, szare linoleum, policzyć łóżka, licząc ich nogi. Jedno, drugie, trzecie. Podniosła wzrok i objęła wzrokiem całą salę. Na wprost niej, niedaleko dużego okna, stała choinka. Rząd łóżek po obu stronach długiego przejścia. Przy niektórych łóżkach wisiały zielone zasłony, oddzielając pacjentów. Resztę stanowiło morze chorych mężczyzn na łóżkach z białą pościelą, ich twarze zlane w jedną, nierozpoznawalne. Dostrzegła go, zanim on zobaczył ją. Siedział, niepodłączony do żadnej maszyny czy kroplówki. Wyglądał tak zaskakująco znajomo, że zabrakło jej tchu. Był kimś, kogo znała z innego otoczenia. Znała go lepiej niż ktokolwiek inny w tej sali. Znała go w oderwaniu od tego miejsca. Był kimś powiązanym z nią. Dlatego pierwsze słowa, jakie do niego wypowiedziała, nie należały do racjonalnego świata:

– Rae, dlaczego cię tu przywieźli?

Wypowiedział cicho jej imię, potem mówił głośniej:

– Tak się cieszę, że cię widzę, wspaniale cię widzieć – powtarzał, a jego głos był tak donośny, że się zawstydziła, wyobrażając sobie, że wywołuje poruszenie na sali, wszyscy odwracają się i na nich patrzą. Chciała się pochylić i objąć go, powiedzieć mu: mów ciszej, mówisz za głośno. Zamiast tego włożyła ręce do kieszeni i usiadła na krześle stojącym przy jego łóżku.

Wyglądał starzej, niż pamiętała, a może dopiero teraz zaczęła to dostrzegać, widząc siwiznę w jego włosach. Dzisiaj tłuste, dłuższe niż zwykle, błyszcząca skóra na czole i nosie. Ubrany był w szarą piżamę, pogniecioną i bez jednego guzika, z czarnym podkoszulkiem pod spodem. Uśmiechał się do niej, miał prawie sine usta, jego policzki i opuszki palców też były pociemniałe. Wyglądało na to, że jej widok go uszczęśliwił.

– Mówisz bardzo głośno – powiedziała i spojrzała zaniepokojona na jego sąsiada. Był to starszy mężczyzna, który spał na boku, zwrócony twarzą w ich stronę. Wyglądał jak ktoś, kto gdy nie śpi, nosi sztuczną szczękę. Po drugiej stronie Rae stało łóżko osłonięte zieloną zasłoną, młody mężczyzna w łóżku stojącym w rzędzie przy przeciwległej ścianie sali czytał gazetę.

Rae nie odpowiedział, tylko się uśmiechał i patrzył na nią. Odwróciła wzrok. Powitanie jej pozbawiło go tchu.

Zakasłał, jedno ciche kaszlnięcie, ale to był okropny dźwięk, gorszy niż kasłanie, jakie słyszała kiedykolwiek wcześniej.

– Powiedz mi, co się stało.

Pokręcił głową i odpowiedział, z trudem oddychając:

– Za chwilę... ty mów.

Nie wiedziała, co powiedzieć, o czym zacząć rozmawiać. Byłoby jej łatwo mówić, gdyby na nią nie patrzył.

– Chcesz wiedzieć, jak się dowiedziałam, że jesteś w szpitalu?

– Tak.

Opowiedziała mu, obracając w palcach pasek torebki, którą trzymała na kolanach, jakby była gotowa wstać i w każdej chwili wyjść. Torba przypomniała jej o liście od ciotki i zaczęła być go świadoma, leżącego w jej wnętrzu, w zaklejonej kopercie.

– Ładnie wyglądasz – powiedział.

To było niespodziewane i ją onieśmieliło.

– To przez mój nowy płaszcz. Kupiłam go za pół ceny na wyprzedaży – odpowiedziała.

Roześmiał się, a jego śmiech przeszedł w kolejny atak kaszlu. Przycisnął kciuk do klatki piersiowej, skrzywił się i jęknął

Boli.

Nie mogę powiedzieć nic, co go rozśmieszy, pomyślała. Śmiech powoduje kaszel. Siedzieli w ciszy, żadne z nich się nie odzywało. Czas mijał. Miała wrażenie, jakby podróżowała całe mile, żeby tu dotrzeć, walczyła, przedzierała się przez mgłę i ruchome piaski. A kiedy wreszcie dotarła, czuła się pewnie, serce i umysł były spokojne, żadnych rozbieganych myśli. Teraz wszystko jest tutaj, wypełniając ciche chwile. Kolejne minuty i zapach środka dezynfekującego. Szpitalne dźwięki: kroki, stoliki na kółkach, ludzkie głosy, odległy dzwonek telefonu. Przestała obracać pasek torebki. Uśmiechnęła się do niego i odwróciła wzrok. To nie sen, jej oczy i uszy są spokojne, niczego nie tracąc.

– Co masz na ręku? – zapytała. Na wierzchu jego lewej dłoni widniał plaster.

– Podawali mi dożylnie amoxycylinę, ale od jutra będę dostawał tabletki. – Wydawało się, że teraz łatwiej mu mówić, i opowiedział jej, że stan jego płuc pogorszył się w ciągu ostatnich dni, że podróż ze Stirling do Aberdeen była koszmarem, który zakończył się najpoważniejszym atakiem astmy, jaki kiedykolwiek miał.

– Pojechałem prosto do lekarza, a on skierował mnie tutaj. Nawet jeszcze nie byłem w domu. Wciąż mam ze sobą wszystkie rzeczy.

– Trzeba było iść do lekarza w Stirling. Nie powinieneś prowadzić, jeśli czułeś się tak źle.

Nie zareagował, tylko powiedział:

– Właśnie sobie przypomniałem, że mam coś dla ciebie.

Wolno zszedł z łóżka. Zobaczyła, że ma skarpetki nie do pary: jedną granatową, drugą czarną. Pochylił się i wyciągnął spod łóżka walizkę. Otworzył ją i zaczął wyjmować z niej ubrania oraz książki i kasety.

– Zwykle jestem lepiej zorganizowany – tłumaczył się.

Sammar musiała przygryźć wargę, żeby nie zaproponować, że zabierze jego pranie do domu, upierze mu rzeczy. Chciała je poskładać, wygładzić, złożyć razem rękawy, ułożyć.

– Mogę przejrzeć twoje taśmy? Tego słuchasz w samochodzie?

Kiwnął głową i nadal przeszukiwał walizkę. Rozpoznała część nagrań: *Survival*, *Babylon By Bus*, *Uprising* Boba Marleya. Jeździł po Szkocji, słuchając reggae. Wezwanie Afryki do zjednoczenia... zasadzka w nocy... będziemy zawsze miłowali Jah. Słowa powracały do niej wraz z melodiami... *Emancipate yourselves from mental slavery, none but ourselves can free our minds...** Gdzie słyszała te piosenki? W domu, w kolejce po benzynę, na targu, w radiu toyoty pikapa, samochody zderzak w zderzak, cała kolejka niczym złożony z wielu segmentów wąż smażący się w słońcu. Zapach z piekarni zmieszany z zapachem ropy i ludzie uzależnieni od oparów benzyny, siedzący w kucki przy wydzielających opary dystrybutorach, żebracy oparci o samochody, wciskający palce przez okna. Tam były te piosenki, a tutaj, w tym zimnym mieście Tariq kupił kasety w sklepie przy Union Street, bo te z domu dawno już rozpuściły się od słońca. Wyglądaj przez okno na ciemny deszcz w nadziei, że Tariqowi dobrze idzie egzamin, i naucz Amira śpiewać *Sun is shining, the weather is sweet...*

---

* *Emancipate...* (ang.) – „Uwolnijcie się z mentalnej niewoli, tylko wy możecie uwolnić własne umysły".

Wzięła kasetę, otworzyła i zamknęła pudełko. Afrykańskie flagi na okładce, zielone, tak wiele z nich w zielonym kolorze. Czerwienie, błękity, półksiężyce i gwiazdy, wysoko uniesiona pochodnia. W swojej własnej sali szpitalnej w lepsze dni włączała tę samą taśmę, ktoś mówił prawdę: „Mocą najwyższego wciąż na nowo przychodzimy".

– Przywiozłem ci to z Edynburga – powiedział Rae.

Małe sześciokątne pudełko było zapakowane w jasnoniebieski papier. Zaczął wkładać rzeczy do walizki powoli, ale niedbale.

Rozwinęła prezent, uważając, żeby nie porwać papieru. To był flakonik perfum, owalny, z zatyczką, a nie dyfuzorem, z płynem w kolorze bursztynu. Przez cały czas, kiedy on przeszukiwał walizkę, myślała, że da jej pracę doktorską z Azhara, którą miała dla niego przetłumaczyć. Powiedziała:

– Dziękuję.

Otworzyła buteleczkę. Zapach nie był ani cytrusowy, ani korzenny, ale ciężki i słodki. – Ładnie pachnie – powiedziała, chociaż wiedziała, że nie w taki sposób ocenia się perfumy. Powinna najpierw rozetrzeć odrobinę na nadgarstku i poczekać przez chwilę na efekt. Jednak teraz nie mogła tego zrobić i kiedy podniosła wzrok, dostrzegła, że on jest równie zakłopotany jak ona.

Wciąż klęcząc na podłodze, powiedział:

– Sprzedał mi je Francuz. Mówił, że to nowe perfumy, najlepsze, że dotarły z nieba przez Paryż.

Roześmiała się.

Zabawnie to ujął. „Z nieba przez Paryż".

Wyglądał na zmęczonego, kiedy się podniósł i usiadł na łóżku.

– Powinnam już iść, wyglądasz na zmęczonego – stwierdziła.

Pokręcił głową.

– Nie, zostań, proszę. Po prostu, gdy wstałem, nagle zakręciło mi się w głowie. Zostań, chcę z tobą porozmawiać.

Złożyła papier i razem z perfumami włożyła go do torebki. Wyjęła list od ciotki.

– Zobacz, jaki adres napisała moja ciotka. „Aberdeen, Anglia". Ktoś w urzędzie pocztowym przekreślił słowo „Anglia" na czerwono.

– Właśnie przeciągnęłaś mnie na swoją stronę, Sammar, we wszystkich twoich kłótniach z ciotką. Aberdeen! Anglia jest niewybaczalna.

– Tak właśnie musieli pomyśleć na poczcie. Dobrze, że to dostarczyli.

– Kiedy byłem w Kairze, często mnie pytano: „Jesteś Anglikiem, *Ingelizi*?". A ja odpowiadałem: „Nie". *Amrikani*? „Nie". Wtedy zaczynali nabierać podejrzeń. Mówiłem, że jestem Szkotem, a oni na to: „Och, czy tam jest wojna?".

– *Scotlandi* – sprostowała. – Powinieneś powiedzieć: *Ana Scotlandi mish Irelandi.*

– Powiedz mi, zanim zapomnę, co znaczy *shirk al-asbab*?

– *Asbab* to przyczyny, pośrednicy, więc *shirk al-asbab* oznacza politeistyczną wiarę w pośredników. Na przykład wiara w Naturę, czczenie Natury, która jest tylko pośrednikiem, i wynoszenie jej na pozycję czegoś w rodzaju partnera Boga. Gdzie się z tym spotkałeś?

– U Fareeda.

– To człowiek, z którym się spotkałeś w Stirling?

– Tak. Przyjeżdża do Aberdeen w tym miesiącu, żeby poprowadzić część moich zajęć. Wtedy się z nim spotkasz. Rozmawiałem z nim o tobie.

Zastanawiała się, dlaczego o niej rozmawiał, jak zawarł ją w słowach.

– Skąd on pochodzi?

– Przyjechał z Libanu, ale jest Palestyńczykiem z Gazy. Był dziennikarzem i przez jakiś czas więzili go Izraelczycy. Okrutnie się z nim obeszli, bardzo okrutnie.

– Byłeś w Gazie albo Libanie? – spytała.

– Nie.

– Moja ciotka dawno temu pojechała do Bejrutu, zanim zaczęły się wszystkie te problemy. Kupiła mi bardzo dużo rzeczy. – Ciotka przywiozła jej t-shirt z okrągłą, żółtą, uśmiechniętą buzią, i lalkę, która umiała chodzić. – Zapomniałam, że nawet nie otworzyłam tego listu.

Chciała przeczytać list teraz, żeby jego obecność złagodziła nieuchronny cios.

List był krótki z dołączoną listą lekarstw, które miała przywieźć dla ciotki: paracetamol, środki na przeczyszczenie, herbatniki dla cukrzyków. Ponadto Hanan właśnie urodziła dziecko i najwyraźniej potrzebowała całego asortymentu z Mothercare. Była też lista rzeczy dla Amira:

ubrania, wrotki. Wrotki? Skąd dowiadują się o takich rzeczach? Sammar włożyła listę zamówień do koperty, była zbyt przytłaczająca. Ciotka chyba myśli, że ona zarabia miliony, jest emigrantką z rodzaju tych, którzy znaleźli pracę w Arabii Saudyjskiej i Zatoce. Sam list był radosny. *Jestem taka dumna, że dostałaś pracę, dzięki której możesz pojechać do Egiptu, wspaniale, że płacą za Twój bilet! Jak mówiłam wcześniej, skupienie się na karierze i synu to jest właściwe podejście. Dobrze mu zrobi pobyt w Anglii z Tobą, zdobędzie lepsze wykształcenie. Tak dużo osób Ci zazdrości.* Po tym następowała lawina narzekania na życie w Chartumie i że Sammar czułaby się tu okropnie po tak długiej nieobecności. I ostatnie linijki: *Bardzo się cieszę, że najwyraźniej porzuciłaś bezsensowny pomysł ponownego zamążpójścia - kiedy zobaczysz Amira, jaki jest uroczy, serce nie pozwoli Ci być tak samolubną, żeby sprawić mu ojczyma, jakiegoś obcego człowieka, który nie będzie go dobrze traktował. Oczywiście nie ma to znaczenia tam, gdzie jesteś, nikt Cię tam nie widzi, ale kiedy przyjedziesz tutaj, lepiej nie ubieraj się zbyt kolorowo, wiesz, co ludziom może przyjść do głowy. Nie musisz kupować wszystkiego, o co poprosiła Hanan, jak zwykle chce za dużo, ale koniecznie przywieź wszystkie leki dla mnie.*

Sammar uśmiechnęła się do Rae. Chciała coś powiedzieć, ale nie mogła.

– No i jakie nowiny? – zapytał.

– Moja ciotka uważa, że Amirowi spodobają się wrotki.

Rae powiedział, że Mhairi ma wrotki i zaczął mówić o zabawkach dla dzieci. Słuchała jego głosu, ale nie treści.

– Moja ciotka jest zdania, że po tak długim pobycie tutaj Chartum w ogóle nie będzie mi się podobał. Uważa, że wszystko wyda mi się brzydkie i zacofane.

– Nie sądzę, żeby wszystko wydało ci się brzydkie i zacofane. A ty, jak myślisz?

– Nie wiem.

– Twoja ciotka cię nie zna – orzekł.

– Zna mnie przez większą część mojego życia! – Udawała, że się z nim nie zgadza, ale w duchu ucieszyło ją to, co powiedział. Chciała, żeby złagodził ból wywołany listem, a on zrobił jeszcze więcej, bez wysiłku, z łatwością, jakby użył czarów.

– Co chciałeś mi przedtem powiedzieć?

– Kiedy?

– Kiedy poprosiłeś, żebym została.

– Chciałem ci opowiedzieć o Fareedzie. Zacząłem, ale nie skończyłem. Znam go od lat, razem napisaliśmy kilka artykułów. Raz na jakiś czas wybucha: dlaczego nie przeszedłem na islam, jak mogę go zgłębiać, znać i mimo to nie widzieć, że to jest prawda, i czy nie boję się, że kiedy nadejdzie czas, kiedy umrę i zostanę zapytany, czy nie boję się, że nie będę miał wymówki, że nie będę mógł wymówić się niewiedzą? W każdym razie wałkuje to wszystko ze mną od czasu do czasu.

Sammar zamrugała, słysząc własne myśli tak prymitywnie ujęte przez kogoś innego. Spojrzała na Rae pytająco, nieufnie. Dlaczego jej to wszystko mówi?

– Cóż, zastanawiałem się... – odwrócił wzrok – zastanawiałem się, dlaczego ty nie mówisz takich rzeczy?

Znalezienie odpowiedzi było trudne. Mogła powiedzieć tak wiele rzeczy, które byłyby prawdziwe, a jednocześnie nieprawdziwe.

– Yasmin wspomniała mi kiedyś, że irytuje cię, kiedy muzułmanie oczekują, że się nawrócisz tylko dlatego, że tyle wiesz na temat islamu.

– Boisz się, że mnie zirytujesz?

– Tak.

– Taka arogancja mnie irytuje – przyznał, lecz przerwał jak ktoś, kto ma więcej do powiedzenia, ale woli milczeć.

– Czyli Fareed jest bardzo arogancki?

– Nie określiłbym go jako aroganckiego. Nie rezygnuje dlatego, że postrzegam Koran jako święty tekst, słowo Boga. Biorąc pod uwagę moją pracę, kwestie, którymi się zajmuję, nie mógłbym nie zgodzić się z wizją muzułmanów dotyczącą Koranu, tym, co o nim mówią. Jednak dla Fareeda to jest równoznaczne z przyjęciem islamu, więc nie może zrozumieć, dlaczego mówię, że nie jestem muzułmaninem.

Sammar też nie potrafiła tego zrozumieć.

– Chyba zgadzam się z twoim przyjacielem – rzekła z wahaniem.

– Dlaczego?

Chciała powiedzieć: dlatego że jeśli nie zostaniesz muzułmaninem, nie będziemy mogli się pobrać, nie będziemy razem i ja będę nieszczęśliwa i samotna. Powiedziała jednak:

– To będzie dla ciebie dobre, to cię wzmocni.

Nie odzywał się, a ona pomyślała: Zraniłam go. Powiedziałam nie to, co trzeba.

Do starszego pana z sąsiedniego łóżka przyszła żona. Kiwnęła głową w stronę Rae, wygładziła koc okrywający śpiącego męża, usiadła, wyjęła z torby okulary i zaczęła czytać książkę. Ktoś włączył telewizor zawieszony na przeciwległej ścianie sali. Wyścigi konne, odgłos kopyt, głos komentatora.

– Niektóre konie mają arabskie imiona – odezwał się Rae.

Rozmawiali o imionach koni. Sammar obserwowała jego twarz, upewniając się, że go nie zraniła swoimi słowami.

Dostała szansę, żeby powiedzieć coś inteligentnego na temat islamu, i ją straciła. Mogła wspomnieć o prawdzie albo kwestiach wieczności czy odróżnieniu wiary od tradycji kulturowych. Zamiast tego powiedziała coś osobistego. „To cię wzmocni", słowa, które niosły krytykę. Gardziła sobą.

– Muszę iść. Wygląda na to, że zbliża się kolacja.

Młoda pielęgniarka pchała wózek, rozdając tace. Salę wypełnił zapach gotowanych warzyw.

Sammar wstała.

– Przepraszam, że cię zmęczyłam, zostałam za długo...

– Nie – zaprzeczył. – Ze wszystkich ludzi ty jedna nigdy mnie nie męczysz.

Uśmiechnęła się, ale wciąż była trochę zaniepokojona.

– Czasami mówię nie to, co trzeba.

– Nie przejmuj się. Nie przejmuj się tym...

– Czuję się okropnie, że kiedy rozmawialiśmy przez telefon, nie domyśliłam się, jak bardzo jesteś chory. Myślałam, że to tylko grypa. Powinnam była wiedzieć.

– Ale ja sam nie wiedziałem. Myślałem, że to tylko infekcja płucna. Często je miewam. Muszę przyznać, że tym razem się przestraszyłem. Robiłem wdech, a powietrze po prostu nie przechodziło. Myślałem, że to koniec, że przyszła na mnie pora.

– Myliłeś się.

Zapomniała, że kilka minut temu czuła do siebie pogardę.

W szpitalnym holu na jednej ścianie były lustra. Miała lekko zaczerwienione oczy, powieki jakby pociągnięte cieniem. Jej usta i kości policzkowe miały kolor, jakby się umalowała. W torebce miała buteleczkę sprzedaną przez mężczyznę w Edynburgu, który mówił swoim klientom, że perfumy dotarły aż z nieba przez Paryż.

10

Co to za historia z twoją wizytą u Rae w szpitalu? Yasmin siedziała na jedynym fotelu w pokoju i patrzyła, jak Sammar prasuje.

– Skąd wiesz?

– A kto nie wie!? Wszystkim o tym opowiada.

Wrócił już do pracy, ale przychodził tylko na wykłady. „Potem idę do domu i padam na łóżko" – powiedział Sammar.

– Słyszałaś to od niego? Co ci powiedział? – chciała wiedzieć Sammar.

– Powiedział, że byłaś bardzo dzielna.

– Ja, dzielna! – Uśmiechnęła się i spryskała wodą spódnicę. Dzielna.

Wczoraj, w jego obecności, obskoczyły ją przejęte sekretarki. „To urocze z twojej strony, Sammar, że poszłaś go odwiedzić", a ona, przytłoczona, cofnęła się, podchodząc bliżej niego, by być dalej od zapachu talku i Gold Blend. Wyglądał na zadowolonego z siebie. Kiedy się odwróciły, szepnął do Sammar:

– *Coup d'état.*

– Opowiadaj, co się dzieje – nalegała Yasmin.

– Wiesz, że *masha' Allah*, wyglądasz na więcej niż piąty miesiąc? Jesteś pewna, że dobrze policzyłaś?

Siedząca Yasmin wyglądała, jakby coś wielkiego i okrągłego spadło jej z nieba na kolana.

Zignorowała Sammar i oznajmiła:

– Jesteś ostatnią osobą na świecie, po której bym się tego spodziewała. Co ty wyprawiasz?

– Nic.

– Zamierzasz wyjść za mąż za kogoś, kto nie jest muzułmaninem?

– Oczywiście, że nie. To byłoby wbrew szariatowi.

– Po co więc gnałaś do szpitala, żeby go zobaczyć?

Sammar udało się uśmiechnąć, słysząc „gnałaś".

– Jestem optymistką.

– Powiedział ci, że się nawróci?

– Nie – odparła beztrosko. Nie powiedział jej nawet, że chce się z nią ożenić. – Myślę, że mógłby, czemu nie?

– Czemu nie? Ponieważ ktoś taki jak on jest prawdopodobnie agnostykiem, jeśli nie ateistą. Cały wydział składa się z ateistów. Ci ludzie są wybitnie lewicowi, „religia to opium dla mas" i tym podobne.

Sammar nie wiedziała, kto to jest agnostyk. Skupiła się na plisach spódnicy, manewrując żelazkiem. Wolałaby, żeby Yasmin mówiła o czymś innym. Ale to była jego wina. Nie mogła zrozumieć, dlaczego opowiada wszystkim, że odwiedziła go w szpitalu. Czasami wydawał jej się skryty i tajemniczy, a innym razem otwarty, jak w tym przypadku.

Teraz miała ochotę spytać Yasmin o jego byłą żonę. Jaki miała kolor oczu? Yasmin była jednak zdeterminowana, żeby wygłosić swego rodzaju kazanie.

– Widziałam tych Szkotów, którzy żenią się z muzułmankami – mówiła. – Typowy scenariusz: on pracuje dla firmy naftowej w Malezji albo Singapurze, ona jest uroczym dziewczątkiem w mini, która wychodzi z nim co wieczór. Kiedy nadchodzi pora ożenku, ona mówi, tak przy okazji jestem muzułmanką i moi rodzice nie pozwolą mi wyjść za ciebie, jeśli się nie nawrócisz. A jak mam się nawrócić? Kochanie, kocham cię, nie mogę bez ciebie żyć. Och, to tylko kilka słów, które musisz wypowiedzieć. Po prostu powiedz shahadah, to tylko kilka słów: *Zaświadczam, że nie ma boga nad Allaha, a Mahomet jest jego prorokiem*. Koniec opowieści. Biorą ślub, a ona może przez kolejne lata modlić się i pościć albo nie, ale to nie ma nic wspólnego z nim. W jego życiu wszystko jest dokładnie takie samo jak przedtem.

Sammar wzruszyła ramionami.

– To jest inna sytuacja.

– Czy on powie shahadah bez przekonania tylko po to, żeby się z tobą ożenić?

– Nie wiem.

Yasmin nic na to nie odpowiedziała. Postawiła fotel naprzeciwko łóżka i oparła na nim stopy. Miała pończochy w kolorze, jakiego Sammar by nie włożyła. Sammar pomyślała, że gdyby zaproponowała, że zrobi Rae pranie, jego skarpetki suszyłyby się teraz na kaloryferach. Co by Yasmin na to powiedziała?

– Wyjeżdżasz za kilka tygodni – przypomniała Yasmin. – Na twoim miejscu do tego czasu unikałabym go jak zarazy. Jedź do domu, a może spotkasz kogoś normalnego, Sudańczyka, jak ty. Po prostu mieszane pary nie wyglądają dobrze, wszystkich irytują.

– Ale on jest bardzo miły. Nie uważasz, że jest miły?

– Ten ciągły kaszel i charczenie działa mi na nerwy.

Sammar się roześmiała.

– Jesteś okropna.

– Po prostu się przejmuję – tłumaczyła Yasmin. – Rozmawiałaś z nim na temat jego przejścia na islam?

– Nie, właściwie nie. Ale on zawsze dobrze się wyraża o islamie, mówi rzeczy, o których nawet ja nie wiem. Rozumie...

– To jego praca, dziedzina, w której jest bardzo ceniony. Ale jego zainteresowanie, z tego, co wiem, jest czysto akademickie.

– Ale mogłoby się stać czymś więcej niż... – zaczęła Sammar.

– Czy ty wiesz, że on w ogóle wierzy w Boga?

– Oczywiście, że wierzy w Boga. Nie jest pusty w środku.

– Ateista może być równie miły, jak każdy inny człowiek. Bycie dobrym czy życzliwym nie ma z tym nic wspólnego.

– Poza tym powiedział mi, że uważa Koran za święty tekst...

– W taki sposób teraz prowadzi się badania – wyjaśniła Yasmin. – To nowoczesne podejście. To ma coś wspólnego z byciem europocentrycznym. Przyjmują to, co każda kultura ze sobą niesie. Mogą więc studiować dowolną liczbę świętych tekstów i pozostać obojętnymi. Mogą mieć własne poglądy religijne albo być ateistami...

– Myślisz, że Rae jest ateistą?

– Nie zdziwiłabym się. Wcale bym się nie zdziwiła.

Sammar odstawiła żelazko. W jej życiu nigdy nikt, na kim jej zależało, nie był niewierzący. Niezbyt religijny, owszem, nieoddający się modlitwom, nieprzejmujący się zbytnio tym, co dobre, a co złe, ale zawsze wiara była obecna, zawsze obecny był Allah, Jego istnienia nigdy nie odrzucano. Myśl o tym, że Rae jest taki nieświadomy, była nieznośna.

Przestała prasować, pośpiesznie włożyła płaszcz, zasłoniła włosy chustą i poszukała drobnych w portmonetce.

– Dokąd idziesz?

Jego numer, gdzie ma jego numer? Szuflada otwarta, papiery wyrzucone. Nigdy wcześniej nie dzwoniła do niego do domu.

– Co się z tobą dzieje? Dokąd idziesz?

Znalazła numer, zignorowała Yasmin. Zbiegła po schodach na półpiętro. Jeden z lokatorów wyjmował rower spod schodów. Skórzana kurtka, długie włosy związane gumką, źródło głośnej muzyki, która przebijała się przez podłogę. Bała się tego mężczyzny i zwykle nasłuchiwała, żeby się upewnić, że nie wchodzi ani nie schodzi po schodach, zanim wyszła z mieszkania. Teraz, kiedy go zobaczyła, upuściła jedną z monet na podłogę i musiała się schylić, żeby ją podnieść. Kiedy się wyprostowała, patrzył na nią z szyderczym uśmiechem. Wyszarpnął rower spod schodów i wycofał się z brzękiem. Przy jego spodniach wisiały łańcuchy, ciężkie buty wydawały ostry dźwięk. Kiedy otworzył drzwi, do środka wpadł podmuch zimnego wiatru. Zadrżała. Telefon. Wybieranie numeru, jej palce niezręczne, niezdarne. Dźwięk dzwonka. Dzwonił i dzwonił. Pozwoliła, żeby dzwonił. Dzwonił i dzwonił. Trzęsła się, a telefon dzwonił, każdym kolejnym dzwonkiem przebijając się przez pustkę. Wreszcie senny głos, rozpoznanie.

– Rae, czy ty wierzysz w Boga?

Gdy milczał, uderzała głową o ścianę, delikatnie, rytmicznie. Ściana w miejscu, gdzie dotykała jej czołem, była chłodna, przyjemnie solidna. Słuchawka ślizgała jej się w ręku. Pomyślała: uwielbiam jego głos, musiał mocno spać, jeszcze nie czuje się dobrze. Jego głos i to, jak ciężki jest w środku, na tyle ciężki, żebym się w niego zapadła. To wszystko będzie mi zabronione? Dokąd ja... Zamknęła oczy, uderzała czołem o ścianę. Połowa stycznia i do holu sączyło się popołudniowe światło, dni były coraz dłuższe, subtelna zmiana słonecznego światła. Kiedy się odezwał, było tak, jakby oczekiwała, że cisza będzie trwała wiecznie, jego spokojny głos ją zaskoczył.

– Tak – powiedział – wierzę.

– Nie jesteś... a... ateistą? – Rzadko używane słowo z trudem przeszło jej przez gardło. Źle je wymówiła.

– Nie, nie jestem. – W jego głosie dało się wyczuć uśmiech.

Usiadła na schodach.

– Myślałem, że wiesz.

– Nie byłam pewna.

– Powinienem był się jaśniej wyrazić.

Półpiętro, rowery pod schodami, Yasmin na górze, wszystko zostało wyparte.

– Obudziłam cię – powiedziała.– Mocno spałeś.

– Śniłaś mi się.

– Opowiedz.

– Byłem w dużym domu o wielu pokojach. Wyglądał niemal jak rezydencja. Ukrywałem się, ponieważ poza domem byłem śledzony, ścigany przez wiele dni. W ręku trzymałem miecz i była na nim krew, krew moich wrogów, ale ja sam, moje ubrania i ręce były czyste i byłem z tego dumny.

Przerwał na chwilę, po czym podjął opowieść:

– Wszedłem do zadymionego pokoju, bardzo zadymionego, ale kiedy sprawdziłem, nie znalazłem ognia. Kiedy wyszedłem z pokoju, pękła rękojeść mojego miecza i wiedziałem, że nie da jej się już naprawić, nigdy nie będzie dość solidny. To była wielka strata, nie wiem dlaczego, ale miałem poczucie głębokiej straty, gdyż musiałem iść dalej bez miecza. Przeszukałem resztę pokoi w domu. Było tam dużo pokoi, korytarzy, przejść. Znalazłem schody i zacząłem po nich wchodzić. U szczytu schodów był pokój i ty tam byłaś.

– Co robiłam?

– Gotowałaś.

Uśmiechnęła się.

– Co gotowałam?

– Chyba warzywa.

Zobaczyła zieloną paprykę i bakłażana. Wymówiła z namysłem każde słowo:

– Czy byłam szczęśliwa, że cię widzę?

– Byłaś bardzo szczęśliwa, a potem dałaś mi szklankę mleka do wypicia.

– Mleko! Jakie to dziecinne z mojej strony, bardzo przepraszam.

Roześmiał się i powiedział:

– Wypiłem, wypiłem je całe. Nie miałem nic przeciwko temu.

11

Ugotowała mu zupę. Pokroiła cukinię, seler i cebulę. Jej uczucia były w zupie. W pianie, która unosiła się na powierzchni, kiedy gotowała kurczaka w miękkich pomidorach. W makaronie w kształcie maleńkich gwiazdek. W przyprawach, których musiała szukać, o nazwach bez angielskich odpowiedników, których nie znalazła w żadnym arabsko-angielskim słowniku. Habbahan, habbahan... Musiała krążyć po supermarkecie, gorączkowo szukając czegoś, o co nie może spytać, jest tłumaczką, więc powinna znać nazwę habbahan. Bez tego zupa nie będzie smakować jak trzeba, nie będzie skończona. Wreszcie znalazła habbahan. Istniał, miał nazwę: kardamon zielony cały.

Strąki kardamonu. Trzeba je rozłupać, rozgnieść na proszek ukryte wewnątrz nasiona. Wydawało jej się niesprawiedliwe, że on jest zupełnie sam, chory i sam, że codziennie zmusza się, żeby przyjść i wykładać, i wraca do domu, do niepościelonego łóżka, niepozmywanych kubków i naczyń, do posiłków, które musi sobie ugotować. Na wydziale mówiło się, że jest pracoholikiem. Powiedziała do niego: w szpitalu kazali ci odpocząć od pracy, dlaczego nie posłuchasz? Odpowiedział, że ma zbyt dużo rzeczy do zrobienia.

Wlała zupę do dwóch plastikowych pojemników i zaniosła je do pracy. Czekała na niego, kiedy wyszedł z sali wykładowej, kaszląc, z palcami ubrudzonymi kredą. Dostrzegła w nim zmianę, sposób, w jaki odwrócił się od wszystkiego, od studentów opuszczających salę, następnej grupy wchodzącej do środka. Kiedy się do niej odezwał, wyglądało to tak, jakby obok nie było nikogo innego, jakby świat materialny nie istniał. Jego głos był inny, życzliwy, łagodniejszy. Dopiero po kilku minutach zrozumiał, co Sammar do niego mówi, co trzyma w ręku, co mu daje. Wtedy powiedział: „Och, Sammar", niskim głosem pełnym uczucia. I po tym żadne z nich nie było w stanie powiedzieć nic zwyczajnego, nic typowego, „bardzo dziękuję", „mam nadzieję, że będzie ci smakowała", „na pewno będzie", „możesz ją zamrozić"... Odwróciła się i ruszyła korytarzami oświetlonymi jarzeniówkami, wypełnionymi studentami, wyższymi od niej, w luźnych dżinsach, z plecakami, miękkimi włosami opadającymi na młode oczy.

Dwa tygodnie. Dwa tygodnie i będzie daleko, na innym kontynencie. Słońce, nie ma potrzeby zapalać w domu światła. Za dwa tygodnie opuści to miasto. Zarezerwowała bilet z Londynu, musi zarezerwować bilet na pociąg z Aberdeen. Kupiła rzeczy, o które prosiła ją ciotka, musi zacząć się pakować. Myślała o wyjeździe do domu, o tym, że znów zobaczy dom, zobaczy jego kolory i pomimo lat tęsknoty teraz czuła tylko opór. Miała obawy.

12

Przeszłość jej przeszkadzała, bo jedyne, czego pragnęła, to teraźniejszość. Pragnęła tych dwóch tygodni, zanim wyjedzie. Przeszłość pojawiła się i stanęła przed nią, domagając się uwagi. Czasy, zanim zaczęła pracować na wydziale Rae. Pracowała na wydziale języków obcych i czasem robiła tłumaczenia dla miasta: z angielskiego na arabski, ulotki o służbie zdrowia, o zajęciach z angielskiego. Wydarzenie z tamtego okresu: Libijka w szpitalu i Sammar, którą poproszono, żeby pojechała do Foresterhill i tłumaczyła dla niej. Kobieta nie znała angielskiego, a jej mąż, który mówił po angielsku, był na morzu. Ale Sammar odmówiła, nie mogła znieść szpitala po śmierci Tariqa. I utopiła swoje poczucie winy wobec tej Libijki w oceanie snu. W snach zapominała, że Tariq nie żyje.

Szefową na wydziale języków obcych była kobieta o imieniu Jennifer, która pewnego dnia niespodziewanie wezwała Sammar, poprosiła, żeby usiadła i powiedziała, że nie jest religijna, ale szanuje ludzi, którzy są. Było to podczas wojny w Zatoce, kiedy wszyscy nagle uświadomili sobie, że Sammar jest muzułmanką. Raz mężczyzna zawołał za nią na King Street: *Saddam Husajn, Saddam Hussajn*!

Jennifer powiedziała:

– Mój chłopak jest Nigeryjczykiem. – Zrobiła przerwę, jakby to stwierdzenie miało głębszy sens, który chciała Sammar uświadomić. Sammar siedziała i uprzejmie kiwała głową. Czuła się jak dziecko, które za długo siedziało wieczorem i zaczyna się orientować, że w świecie dorosłych są rzeczy, których nie potrafi zrozumieć. Jennifer perorowała, energiczna i ożywiona, zapewniając ją o swoich szerokich horyzontach i tolerancji, w przeciwieństwie do wielu innych ludzi.

– Na przykład – mówiła – nie mam problemu z tym, jak się ubierasz.

Kiedy Sammar wreszcie się odezwała, wykrztusiła tylko:

– Dziękuję.

Po czym wróciła do domu i poszła spać. Spała bardzo głęboko i nieprzerwanie aż do następnego dnia.

W zakres jej obowiązków wchodziła praca dla innych wydziałów, jeśli istniała taka potrzeba. W ten sposób poznała Rae, który wysyłał jej artykuły z arabskich gazet, publikowane w związku z wojną w Zatoce. Pierwszy raz, kiedy poszła się z nim spotkać, zdziwiła się, że się nie śpieszy, nie jest zajęty innymi sprawami. Była przyzwyczajona do zapracowanych ludzi, braku czasu. A zamiast tego po omówieniu artykułu opowiedział jej o czasach, kiedy mieszkał w północnej Afryce i zapytał ją o jej nietypowe imię. Jako że jego zachowanie uśpiło jej czujność, rzekła:

– Jedno z libańskich czasopism dla kobiet nazywa się „Sammar". – I od razu pomyślała, jak można powiedzieć coś tak niemądrego, jakie to nie na miejscu. Ale on nie wyglądał ani na zdziwionego, ani rozbawionego. Powiedział jak najbardziej poważnie:

– Nigdy nie natknąłem się na to czasopismo.

Ludzie o nim mówili: jego studenci, sekretarka Yasmin. To przez niego Sammar poznała Yasmin. Yasmin, która z taką swobodą i znawstwem wypowiadała się o wojnie w Zatoce, imigracji, „tych ludziach". Powiedziała Sammar, że Rae kilka razy występował w telewizji i w radiu w czasie trwania wojny. Przychodziła do pracy następnego ranka i na automatycznej sekretarce na wydziale pełno było wiadomości, gniewnych głosów... „Jesteś hańbą dla naszych uniwersytetów, to my płacimy podatki...". „Nie wiesz, o czym mówisz, myśliwce w tej wojnie nie wystarczą". „Musimy zrzucić bombę atomową, raz na zawsze...". A po programie radiowym: „Czy ta wojna jest święta?", „Ty czarny sukinsynu, pozwolę sobie przypomnieć ci, że Anglia to kraj chrześcijański i byłoby dobrze, gdybyś ty i cała reszta tych wstrętnych czarnych sukinsynów wróciła do kraju Allaha. Od kiedy tacy sukinsyni jak ty przyjechali do Anglii, ten kraj stał się zadupiem zachodniego świata...".

Sammar przypomniała sobie, jak Yasmin opowiadała jej to wszystko w samochodzie pewnej soboty w drodze do sklepu dla majsterkowiczów, jak naśladowała londyński akcent tego mężczyzny.

– Czy Rae się zdenerwował? – chciała wiedzieć Sammar.

– Nie, śmiał się.

I Sammar wyobraziła sobie tę scenę w sekretariacie: Yasmin odtwarzającą nagranie, Rae stojącego nieruchomo w kurtce, ponieważ właśnie wszedł. Niektóre żaluzje wciąż były opuszczone, wydział pustawy, bez kroków studentów. Kilku pracowników personelu wchodzących, żeby sprawdzić korespondencję, mruczących pod nosem powitanie, zatrzymujących się na dźwięk nagrania. Rae wysłuchałby niewyraźnego głosu z taśmy, wiadomości zostawionej dla niego, potem śmiałby się sam, gdyż nikt inny by się do niego nie przyłączył, i pocierałby twarz dłonią.

Trzynaście dni do wyjazdu.

Zbliżał się termin jej wyjazdu, solidny jak skała, imponujący jak góra. Dni były policzone. Ich liczba malała i nie mogło ich przybywać. Nie były to jednak zwyczajne dni. Wydłużały się jak za sprawą czarów, rosły niczym drzewa, a godziny mijały jak godziny mijają dziecku. Nie przelatywały i nie rozpuszczały się niepostrzeżenie. Pomyślała, że to nieprawda, co mówią ludzie, że czas mija szybko, kiedy jest się szczęśliwym, a wolno, kiedy jest się smutnym. W jej najczarniejszych dniach po śmierci Tariqa smutek spalał czas, bez trudu pożerał godziny, całe dnie, kawał po kawale. A teraz każdy dzień był długi i kiedy Rae mówił do niej parę słów, kiedy widzieli się tylko przez kilka minut, te minuty się wydłużały, a słowa pomnażały i wypełniały czas tym, co chciała zabrać ze sobą, czego nie chciała zostawić.

Moje ostatnie dwanaście dni. Moje ostatnie dziesięć dni...

Powiedział, że to jej zupa, jej zupa była katalizatorem, który pozwolił mu wrócić do zdrowia. Pracował już w pełnym wymiarze godzin, nie kaszlał.

Powiedziała:

– Allah jest tym, który uzdrawia.

Chciała, żeby spojrzał ponad przyczynami na tego, który jest Pierwszy, Prawdziwy.

– Kiedy byłem młody, pewne książki nie robiły na mnie wrażenia. Książki z obrazkami przedstawiającymi niebieskookie anioły ze skrzydłami, potulne zwierzęta, które parami wchodzą na pokład arki, natłok puszystych chmur.

Kiedy ona była mała, miała słowa Koranu bez obrazków aniołów. Słowa do nauczenia się na pamięć i recytowania na podstępnych ulicach, gdzie wściekłe psy szczekały zbyt blisko. „Powiedz: *Szukam schronienia u Pana świtu...*", „Powiedz: *Szukam schronienia u Pana ludzi...*". Także nocą, w przerażających snach dzieciństwa, wymawiała te słowa, żeby odsunąć to, co nie chciało odejść, okrutne.

Powiedział:

– To jest prawdziwe, nic nie jest strywializowane, sprowadzone do poziomu bajek. – I wyglądał na rozczarowanego, zajęty myślami, które zbierał tylko dla niej. – Historia sprowadzona do poziomu bajek. Opleciona iluzjami, siatkami geograficznymi, zasadami.

Powiedziała, że w tej części świata wyobrażała sobie wolność, a nie zasady czy ograniczenia. Próbowała jednak zrozumieć, przyswoić sobie ten nowy obraz, który opisywał. Szkockiego Kościoła i państwa. Kalwinizm, posępna i przytłaczająca odmiana chrześcijaństwa. Wychowanie tak różne od jej wychowania. Rzeczy, których go uczono: nie wolno mu się dąsać, nie wolno być bezczelnym, nie wolno dyskutować. Nie może skarżyć się na nudę, bo tylko nudni ludzie się nudzą. Wartość, jaką było udawanie, że wszystko jest dobrze, kiedy nie było. Takie udawanie jako forma sztuki, forma odwagi. Nie myśl za dużo. Rozchmurz się, jesteś zbyt emocjonalny.

– Nie wiedziałam, że bycie emocjonalnym to coś złego.

– Masz szczęście. – Uśmiechnął się, jakby ją kochał. Zachęta do mówienia. Znów bezpańskie psy, zagrożenie wścieklizną, cholerą, schistosomatozą. Trędowaci jak na filmach i jeden dzień w maju, kiedy cała szkoła została zaszczepiona przeciwko zapaleniu opon mózgowych specjalnym pistoletem, dziewczęta mdlejące w słońcu. Czas, kiedy przynależała do konkretnego miejsca, zanim poznała uczucie, że to nie ma z nią nic wspólnego, te sklepy, ci ludzie nie mają ze mną nic wspólnego, to niebo nie jest dla mnie. Czasy, kiedy była cicha, ale nigdy oderwana. Patrzyła, jak ciotka wciera luksus kremu Nivea w nogi, biały krem znikający pod skórą pokrytą rysunkiem niebieskawych żył, nad kostkami, lakier na paznokciach. Poważna twarz ciotki. To było coś ważnego, potrzebnego, nie zabawa. „Czy ja też mogę się posmarować kremem?”. „Ale najpierw musi umyć nogi, inaczej krem zmiesza się z pyłem”. W ogrodzie Tariq pił ze szlaucha, więc kiedy przyszła jej kolej, też się napiła. Woda była ciepła, nie zimna jak woda z lodówki, bez zapachu jedzenia. Mogła pić tę wodę i pić, i nigdy nie czuć się pełna. Umyć stopy, nogi do kolan. Woda chlapiąca na błoto kwiatowej rabatki, znacząca ścieżkę prowadzącą w głąb ogrodu. Tariq wspiął się na niską ścianę, balansował. „Naprawiłem twój rower” - powiedział. Słychać było szum wody, w oddali warkot samochodu, kilka ptaków. Głos kucharza siedzącego w cieniu drzewa i czytającego Koran. Jego ramiona kołyszące się w przód i w tył w rytm słów.

- Samotność jest malarią Europy - powiedział Rae. - Nikt nie jest na nią naprawdę odporny. To nie jest takie higieniczne miejsce, nie daj się zwieść jej bożkom. Możesz nawet zacząć jej żałować, ale tylko troszkę, nie za bardzo, ponieważ w tym upadku nie ma niesprawiedliwości. Martwię się, że kiedy wrócisz do domu, zdasz sobie sprawę, iż jestem o wiele bardziej toporny od ciebie, że nie jestem taki, za jakiego mnie uważasz.

Mój ostatni piątek.

Pokazał jej kartkę, którą przysłała mu córka, kiedy był w szpitalu. *Zdrowiej szybko, tato,* brzmiał napis. Widniał na niej obrazek zabandażowanego misia. Dobór słów wydał się Sammar dziwny bez *Życzę ci* albo *Modlę się*. To było polecenie i zastanawiała się, czy dziecku wpajano przekonanie, że zdrowie jej ojca jest w jego rękach, pod jego kontrolą. Jednak nie podzieliła się swoimi przemyśleniami i zamiast tego zachwyciła się szkolnym zdjęciem, które Mhairi przysłała razem z kartką. Na jej mundurek składała się spódniczka w szkocką kratę, dopasowany kolorem sweterek i krawat. Wyróżniała się spośród reszty klasy, ponieważ była jego córką i trochę go przypominała.

– Do kogo jest bardziej podobna, do ciebie czy swojej matki? – zapytała Sammar, ale on nie miał ochoty ciągnąć tego wątku.

Mogła się tylko domyślać przyczyn rozpadu jego małżeństwa. Jeśli spyta wprost, jego zwięzła, wyważona odpowiedź jej nie zadowoli. Wiedziała to. Na własną rękę zajrzała więc do środka, uniosła zasłony. Jedna zasłona: nie mógł nikogo unieszczęśliwić; druga zasłona: ta kobieta musi mieć niski iloraz inteligencji, skoro go zostawiła. Wreszcie gdzieś głęboko dostrzegła ziarno prawdy: jego upór i żona robiąca karierę, która zarabiała więcej pieniędzy jako biurokrata przy ONZ niż on jako profesor na prowincjonalnym uniwersytecie. Kobieta, którą zmęczyło podróżowanie w tę i z powrotem z Genewy do Edynburga, żeby zobaczyć się z córką w szkole z internatem, a potem, żeby zobaczyć się z nim w Aberdeen. Nie chciał jechać z nią do Genewy. Genewa, powiedział, była zbyt schludna, a dla niego na świecie istnieją tylko trzy miejsca: Szkocja, północna Afryka, Bliski Wschód. Kobieta, po jednej złośliwej uwadze za dużo, „ONZ to szopka i wszyscy o tym wiedzą”, po jednej kłótni za dużo, „spędziłam z tobą pięć beznadziejnych lat w śmierdzącym Kairze”, któregoś dnia usiadła samotnie z kawą i papierosem i zadała sobie pytanie – „Do czego on mi jest właściwie potrzebny?”.

Moja ostatnia sobota. Moja ostatnia niedziela...

Dzwonił do niej, ale nie mogli rozmawiać zbyt długo. Ludzie wchodzili i wychodzili, mijając półpiętro, drzwi trzaskały. Dziewczyna z długimi tłustymi włosami stała za Sammar i też chciała skorzystać z automatu. Sammar żałowała, że mieszka w takim miejscu, żałowała, że nie siedzi sobie w kuchni z własnym telefonem. Mogłaby rozmawiać i jednocześnie zbierać okruszki ze stołu, wyłączyć kuchenkę.

– Muszę kończyć – wyszeptała, ale nie dał jej odejść, nadal mówił, a ona nie chciała uronić ani słowa. – Muszę kończyć. – Za nią dziewczyna z długimi włosami dąsała się, wypuszczając niecierpliwie powietrze.

– Czy to potrwa cały dzień? Czy to potrwa cały dzień? – Dziewczyna nie miała litości.

Było inaczej niż wtedy, gdy rozmawiała z Rae miesiąc temu podczas przerwy świątecznej, kiedy miała cały dom dla siebie. Teraz nawet nocą nie mogli rozmawiać. Schody nocą były niebezpiecznymi autostradami, od czasu do czasu odgłosy tupania i przesuwania, krzyki, fragmenty piosenek. Ktoś zwymiotował na dole, curry i piwo, w tym samym miejscu, w którym Sammar kładła poduszkę i siedziała, rozmawiając z Rae.

Mój ostatni poniedziałek.

Od wszystkich oprócz niego słyszała: „Masz szczęście, że możesz się wyrwać z tej paskudnej pogody, jaką mamy ostatnio. Musisz być taka szczęśliwa, że znów zobaczysz syna. Ile czasu minęło od ostatniej wizyty? Cztery lata? To długo".

Mój ostatni wtorek.

O tak wczesnej porze w pokoju wykładowców panował spokój. Oprócz niej i Rae było tam tylko dwóch mężczyzn i kobieta z kręconymi blond włosami, którzy przesunęli swoje kubki z kawą po metalowych szynach w stronę kasy, po czym usiedli pod tabliczką „Palenie zabronione". Sammar lubiła wysokie okna w tym pomieszczeniu, z widokiem na inne budynki uniwersytetu, sposób, w jaki trawa pięła się w stronę drogi, białą kopułę budynku wydziału inżynieryjnego w kształcie meczetu. Czy będzie pamiętała te rzeczy? Sposób, w jaki Rae rozdarł torebkę z cukrem, czy będzie pamiętała o tym w miejscu, gdzie nie ma cukru w torebkach? Albo jego kurtkę, czy będzie pamiętała jej kolor w miejscu, gdzie ludzie nie potrzebują wełny ani kurtek? Przyszłość dopraszała się jej uwagi. Wyobraź sobie rozmowy w Egipcie, młodych mężczyzn palących jednego papierosa za drugim. Wyobraź sobie słońce i zakurzone drogi, źle zaopatrzone sklepy, zdezelowane samochody i zniszczone ubrania, nieurządzone pokoje. Wyobraź sobie to wszystko, niebawem się spełni...

– Już się ze mną rozstałaś – stwierdził, jakby słyszał wzywającą ją przyszłość, jakby widział przyszłość szarpiącą ją za rękę. Obserwował ją, patrzył na nią częściej niż ona na niego. Jej uwagę przykuwały kubki z herbatą, idealnie gładkie plastikowe łyżeczki.

– Nie. Nie, wciąż tu jestem.

Byli razem o tej niezręcznej porze dnia, żeby wycisnąć tyle chwil, ile mogli, to, co zostało. Za godzinę będą pochłonięci pracą i głosami innych, będą częścią większej, kręcącej się maszyny, projektami, które ona musi przyspieszyć i zakończyć przed wyjazdem, jego zajęciami i wizytą doktora Fareeda Khalifa ze Stirling. Pisali razem artykuł, co oznaczało wielogodzinne dyskusje.

Powiedziała:

– Wczoraj, kiedy rozmawiałam z Fareedem po arabsku, czułam, że dom jest blisko.

Poprzedniego dnia poznała go w gabinecie Rae. Był niski i pełen energii, z brodą, i zadawał jedno pytanie po drugim. Jednak nie miała nic przeciwko temu, żeby odpowiadać na jego pytania, jej *curriculum vitae* jej życia. W zamian za to on opowiedział jej o swojej żonie, która tutaj studiowała, trójce dzieci w wieku szkolnym. Przyjemnie rozmawiało jej się po arabsku, takie słowa jak *insha' Allah* naturalnie pasowały do każdej wypowiedzi, stanowiły część zdań, wizję. Tyle razy w ciągu ostatnich dni mówiła po angielsku. „Wyjeżdżam w piątek". I to zdanie, tak normalne i naturalne w uszach innych, dla niej brzmiało niekompletnie, nieprawdziwie bez *insha' Allah*.

– Cierpliwie znosiłaś wszystkie te pytania – zauważył Rae. – Większość ludzi taka nie jest.

– Ty nie jesteś?

– Nie.

– Ponieważ jesteś skryty.

Roześmiał się.

– Dlaczego tak uważasz?

– Z powodu tego, co kiedyś powiedziałeś – odparła. – Rozmawialiście z Yasmin o tym, że uczennice we Francji nie mogą nosić hidżabów. Pamiętasz? Yasmin była zła...

– Tak, pamiętam.

Przypomniała sobie listopadowe popołudnie i zadowolenie, że Yasmin, która odwoziła ją do domu, rozmawia z Rae. Nie śpieszyło jej się do domu, ponieważ Nazim był na morzu, i Sammar uderzyło wtedy, że nikt nie czeka na nich w domu, tylko głosy dochodzące z odbiorników radiowych i telewizyjnych.

Mówiła o tamtym dniu, odnajdując nową przeszłość, nieotuloną snem. Niedawną przeszłość, którą można było wydobyć, jedwab z szuflady, by ją podziwiać i dotykać.

– Powiedziałeś, że hidżab ci się podoba, a ja zapytałam dlaczego. Tylko to powiedziałam przez cały ten czas...

– Yasmin nie daje człowiekowi zbyt wielu okazji do mówienia, prawda?

Skrzywiła się.

– To nie fair, daje... W każdym razie zapytałam, dlaczego ci się podoba, a ty odpowiedziałeś, że dlatego, iż jest tajemniczy. Tak to określiłeś.

– I dlatego zaczęłaś myśleć, że ja jestem tajemniczy?

– Tak.

– Powiedziałem ci komplement – wyjaśnił. – Nie zdawałaś sobie z tego sprawy?

Pokręciła głową i wyjrzała przez okno na zimowe słońce, odbijające się w kopule budynku wydziału inżynierii. Hałas, brzęk sztućców, przesuwanie talerzy, wentylator w kuchni. Gdyby sprawy wyglądały inaczej, uśmiechnęłaby się i spytała: „Powiedziałeś mi komplement na jaki temat?". I z przyjemnością słuchałaby jego odpowiedzi. Jednak obawiała się wyznań, słów pełnych uczucia. Krępujących. Spotykanie go, rozmawianie z nim stało się potrzebą, z którą nie czuła się komfortowo. Poprzedniego dnia zastanawiała się, czy Fareed to wyczuł, odgadł, widząc, w jaki sposób Rae na nią patrzy, w jaki sposób ona mówi. Zazdrościła Fareedowi, ponieważ był żonaty, a ona nie ma męża, a małżeństwo jest częścią ich wiary.

Kiedy odwróciła wzrok od okna, jedna z pań z obsługi chodziła po sali, spryskując stoły płynem i wycierając je ściereczką. Było tu więcej ludzi, których twarze Sammar znała z widzenia, czytali gazety, jedli śniadanie przed rozpoczęciem pracy.

Powiedzieć coś lekkiego. Herbata jest gorąca. Yasmin się przeziębiła, ale nie może wziąć żadnych leków, bo jest w ciąży. Matka Diane przyjechała z Leeds z wizytą. Porozmawiać o pracy. Zapytać o jego studentów, jego najlepszego studenta, mężczyznę z Sierra Leone. Kończy pisać pracę magisterską. Czy uzgodnił już termin obrony?

Zaczęła mówić o pracy doktorskiej z Azhara, którą tłumaczyła. Obiecała mu, że skończy wstęp, zanim wyjedzie.

– Wiele cytowanych w niej hadisów zostało już przetłumaczonych, więc idzie mi szybciej, niż myślałam.

Tutaj, w Szkocji, dowiadywała się więcej na temat swojej religii, a świat był jednym spójnym miejscem.

– Z czym się wcześniej nie spotkałaś?

– Jeden hadis brzmi: *Najlepszy rodzaj dżihadu to taki, kiedy człowiek mówi prawdę w obliczu tyrana.* Nie jest często cytowany i nigdy nie przerabialiśmy go w szkole. Pamiętałabym.

– Biorąc pod uwagę rodzaj dyktatur w większości krajów muzułmańskich, trudno się spodziewać, że taki hadis znajdzie się w programie szkolnym – rzekł.

– Ale powinniśmy wiedzieć...

– Rekompensatą jest to, że możesz wiedzieć, iż te informacje istnieją. Rządy przychodzą i odchodzą, i mogą się intensywnie sekularyzować, tak jak w Turcji, gdzie usunęli islam z programu nauczania albo zmarginalizowali go jak w większości innych krajów, oddzielając od pozostałych przedmiotów, nawet od historii. Jednak nigdy nie ingerowano w sam Koran ani autentyczne hadisy. Są takie same, jakie były przez stulecia. To pierwsza rzecz, która mnie uderzyła, kiedy zacząłem studiować islam, jeden z powodów, dla których go podziwiam.

– Dlaczego zacząłeś go studiować?

– Chciałem zrozumieć Bliski Wchód. Nikt, kto pisał w latach pięćdziesiątych i sześćdziesiątych, nie przewidywał, że islam odegra tak istotną rolę w polityce na tamtym obszarze. Nawet Fanon, którego zawsze podziwiałem, nie miał wglądu w uczucia religijne Afrykańczyków z północy, o których pisał. Nigdy nie powiązał islamu z antykolonializmem. Wybuch irańskiej rewolucji wszystkich zaskoczył. Kim są ci ludzie? Co ich motywuje? Potem pojawiło się wiele tekstów, zwykle opartych na błędnych przesłankach. Zagrożenie, że pochłonie to cały region, duża przesada. Jednak jest to w pewnym stopniu zrozumiałe, ponieważ przez wieki stosunki między Zachodem i Bliskim Wschodem były napięte. Od siódmego wieku, kiedy Kościół potępił islam jako herezję.

Czas nie był szczodry. Obydwoje w tym samym momencie popatrzyli na zegarki. Tylko kilka minut do dziewiątej. Ludzie wychodzili z sali, Sammar widziała przez okno studentów idących w stronę budynków, wchodzących do środka.

– Z jakich jeszcze powodów podziwiasz islam? – spytała.

– Na razie musi wystarczyć jeden powód, ponieważ nie mamy zbyt dużo czasu. Istnieje kilka teorii...

Pomyślała: teraz mówi do mnie tak, jak zwraca się do swoich studentów. Czasem żałowała, że nie jest jednym z nich, ponieważ wtedy mogłaby słuchać go przez kilka godzin.

– ... te teorie wyjaśniają, dlaczego kapitalizm ostatecznie rozwinął się w Europie, a nie w innych, wcześniejszych cywilizacjach, jak muzułmańska Hiszpania czy imperium otomańskie. Jedna z tych teorii głosi, iż rozwój kapitalizmu wymaga akumulacji bogactwa poprzez dziedziczenie wynikające z istnienia dynastii i rodzin o długiej historii. Jednak prawo szariatu dotyczące dziedziczenia i dobroczynności rozdzielało bogactwo i do niezbędnej akumulacji nigdy nie doszło. Pojawiał się efekt blokowania, niczym wewnętrzny termostat albo wyłącznik, powstrzymujący nadmierną kumulację. Postrzegam to jako równowagę, coś, co zapewniało zdrowy rozsądek, stabilność. A teraz muszę pędzić, bo spóźnię się na zajęcia.

Po jego odejściu siedziała przez kilka minut, bawiąc się plastikową łyżeczką. Dlaczego, mimo jego pozytywnych deklaracji, nie czuje się do końca przekonana? Wiele miesięcy temu Yasmin zapytała: „Masz nadzieję, że zostanie muzułmaninem, żebyście mogli się pobrać?". Nadzieja, że zostanie, obawa, że nie zostanie, i co wtedy? Na stole był rozsypany cukier. Rozpuszczał się w plamach herbaty, drobinki spadające w anonimowość wykładziny lub pozostające, by się przykleić, grudkowate i słodkie, do jej palców i ubrania.

Jej ostatnia środa.

13

Jej ostatnie dwa dni. Okna w kolorze czerwonym i błękitnym leciały w jej stronę. Stawały się coraz większe i wyraźniejsze, zbliżały się do powierzchni monitora, a potem znikały. Przestała przekładać arabski na angielski, przestała stukać w klawiaturę. Słowa mignęły i zniknęły tam, skąd teraz nadlatywała grafika windowsa. Najpierw kropeczki, a potem wibrujące kratki i zielenie.

Pomyślała: pojutrze będę, *insha' Allah*, w pociągu. Wagon D, miejsce szesnaście F. I o tej samej porze po południu pociąg już dawno opuści Szkocję.

Była sama w pokoju, ponieważ Diane poszła na cotygodniowe zajęcia z metod badań. Zupełnie jakby jej obecność zmuszała do pracy, a teraz Sammar nie potrafiła się skupić. Wstała i zaczęła chodzić po pokoju. Był mały, miejsca wystarczyło akurat na dwa biurka, dwa obrotowe krzesła, „Guardian" Diany na podłodze. Spojrzała przez okno na zaparkowane samochody, trzech studentów przechodzących przez ulicę, ciemne mroźne niebo. Za kilka dni, na innym kontynencie, przez cały czas będzie słońce.

Jutrzejsze pożegnanie ciążyło jej, tak że kiedy znów usiadła przy biurku, zastanawiała się, jak go uniknąć, umknąć przed niezręcznymi słowami, krótkimi chwilami ciszy pomiędzy. W przeszłości, kiedy wyobrażała sobie, że wyjeżdża z tego miasta, widziała siebie wymykającą się bez trudu, swobodnie, niezostawiającą nic za sobą. Teraz wszystko było mętne i czasem niemal zapominała, dlaczego wyjeżdża. Potem przypominała sobie o Amirze i czuła się winna, że tak rzadko o nim myśli, że nigdy jej się nie śni. Bardzo różniła się od kogoś, kogo chciała widzieć w niej ciotka. Dziecko nie było sednem jej życia, nie stało się punktem centralnym zajmowanym kiedyś przez jego ojca.

Nie przeczuła pukania do drzwi, ale zobaczyła smutek, który z nim wszedł. Jakby był dymem, jakby miał kolory. Barwy kości słoniowej i fioletoworóżowe, prawie niedostrzegalnie destrukcyjne. Rae usiadł na krześle Diane.

– Jutro wyjeżdżam – oznajmił, a ona poczuła się zdezorientowana, bo przecież to ona wyjeżdża, to jej torby są spakowane, jej bilety czyste i nowe. Poczuła się zdezorientowana, ponieważ trwał rok akademicki i Rea miał zajęcia, przyjazd Fareeda za kilka tygodni.

– Pamiętasz, jak mówiłem ci o moim wuju w Stirling?

Pokiwała głową. Przypomniała go sobie w domu opieki, starszego brata Davida, który wyjechał do Egiptu i nigdy nie wrócił.

– Zmarł...

– Och, przykro mi.

Rae patrzył na widmowe okna wyskakujące na ekranie komputera. Ta śmierć nie była tragiczna. Mimo to jej siła była z nimi w pokoju, wyraźna, nieodwracalna. Wróg ciągłości przeciął dzisiaj ich życie. Lecz w tej klęsce było coś pocieszającego, coś łagodnego...

Siedział z łokciami na kolanach i opowiadał o tym, jak się dowiedział, podawał szczegóły ostatnich godzin życia wuja, zbliżającego się pogrzebu. A jako że zakończenia skłaniają do spojrzenia w przeszłość, podsumowania, słuchała streszczenia o spełnionym życiu, karierze, wspomnieniach z letnich wakacji.

– Chciałem być przy tobie jutro, zanim wyjedziesz – powiedział.

– To nie ma znaczenia. – Dym w pomieszczeniu piekł ją w oczy. A zatem to pożegnanie, pożegnanie, którego miała nadzieję uniknąć. Nadeszło dzień wcześniej.

– Ma bardzo duże znaczenie. Tak mi przykro.

– Jedziesz samochodem? – Płaczliwy głos nie brzmi atrakcyjnie. Nie powinna się odzywać takim brzydkim głosem.

– Tak, jadę samochodem.

– Czujesz się na tyle dobrze, żeby prowadzić?

– Nic mi nie będzie, obiecuję. Nie darowałbym sobie, gdybym nie pojechał.

Teraz niczego bardziej nie pragnęła na świecie, niż jechać z nim do Stirling. Zaskoczyło ją, jaka potrafi być irracjonalna i dziecinna. Jak może pragnąć czegoś nieosiągalnego, czegoś, co jest zupełnie nie na miejscu? Jednak nie mogła pozbyć się tego pragnienia. Najbardziej ze wszystkiego nie chciała opuszczać uniwersytetu, więzienia jego znajomych budynków, swojskiej rutyny. Chciała wyjechać z Aberdeen, wyrwać się z miejsca, w którym tak długo była chora i senna. Pojechaliby na południe, w stronę miasta, którego nigdy wcześniej nie widziała. Zatrzymaliby się po drodze, żeby zatankować, a on kupiłby jej w sklepie na stacji wodę mineralną i słodycze.

Kiedy się odezwała, miała sztucznie beztroski głos, ponieważ chciała, żeby wiedział, iż jest świadoma, że to niemożliwe, że to zachcianka, którą należy zbyć, używając zdrowego rozsądku i poczucia humoru.

– Chciałabym z tobą pojechać.

– Ja też bym chciał. To by wszystko zmieniło.

Ponieważ nie spełnił jej oczekiwań, nie był zdziwiony, nie miała czemu się opierać. Nagła ciemność, kiedy ukryła twarz w dłoniach, jego głos i dotyk obejmujących ją ramion. Tego się od początku obawiała, że wszystko pod powierzchnią zbiegnie się ze sobą i zapadnie. Było bliżej, niż sobie wyobrażała, kłujące i nagłe, hałaśliwy szloch, niezręczny z powodu pociągania nosem. Powiedział, że ją kocha, powiedział rzeczy, które nasiliły, zamiast złagodzić jej płacz. Powiedziała mu o tym i podniosła głowę z jego ramienia, odetchnęła. Powiedział, że mu przykro, i trzymał ją za ręce, powiedział, że ma piękne dłonie. Miał zbyt ciepłe dłonie, nieco lepkie, nienaturalnie ciepłe, jakby był chory. Nie wiedziała, że taki jest. Nie wiedziała tego o nim i teraz było jej go szkoda, czuła, że jest mu bliższa. To była bliskość, która ją ukoiła, uciszyła płacz. Spojrzała na ich splecione palce, na różnicę między nimi. Zdziwiła się, jak gładka i chłodna jest jej skóra.

Kroki rozległy się jak we śnie. Usłyszała je pierwsza i odsunęła się od niego, odepchnęła swoje krzesło. Zobaczyła, że pokój się zmienia, wraca do poprzedniego kształtu: z jaskrawym jarzeniowym światłem, z masą dokumentów, wszechobecnym szumem komputera. Znajomy głos Diane otwierającej drzwi: „Kupiłam gu...", a potem zatrzymała się na niespodziewany widok przełożonego w swoim pokoju, siedzącego na jej krześle. Zdziwienie odebrało jej typową dla niej pewność siebie i stojąc przed nimi, z teczkami i książkami w rękach, wyglądała młodo i niedbale. Policzki miała zaczerwienione od spaceru na zimnie.

– Cześć – rzuciła Sammar, starając się stłumić poczucie winy, które brzmiało w jej głosie. Szukała wskazówek na twarzy Diane, obawiając się, że ta nabierze podejrzeń. Rae miał zmarszczone czoło i spojrzenie, które mówiło: „co tu robisz?". Zapomniał, że Diane też jest częścią tego pokoju.

– Czy na dworze jest bardzo zimno? – zapytała Sammar, żeby coś powiedzieć. Diane wymamrotała coś o śniegu. Ponieważ nie było trzeciego krzesła, stała przy drzwiach, kręcąc się i nie wiedząc, co zrobić.

Rae przestał się krzywić i na jego twarzy pojawiło się zrozumienie. Przywitał się z Diane spokojnie i zapytał:

– Jak ci idzie analiza materiałów? Ostatnio niczego mi nie pokazywałaś.

Diane wybąkała, że robi postępy. Miała zaległości w pisaniu pracy i od początku semestru unikała Rae. Mając na względzie Diane oraz własne pragnienie, by niezręczna sytuacja dobiegła końca, Sammar chciała, żeby sobie poszedł.

I wyszedł, nie wyjaśniając, po co przyszedł, więc Sammar musiała stawić czoło zirytowanej Diane.

– Co on tu robił?

Kiedy Sammar układała odpowiedź o jakiejś pilnej pracy, którą miała dla niego zrobić przed wyjazdem, Diane rzuciła książki na biurko i zaczęła opróżniać kieszenie. Wzięła w posiadanie swoje krzesło i znów była sobą, naśladując głos Rae:

– Ostatnio niczego mi nie pokazywałaś. – Informacja, że wyjeżdża do Stirling ją zainteresowała. – Drugi raz w tym semestrze przekazuje prowadzenie swoich zajęć komuś innemu! – zauważyła i wręczyła Sammar gumę do żucia.

Było zimno, kiedy Sammar wracała do domu, a chłód miał zapach, szczypał w nos, wprawiał ją w delikatne oszołomienie. W głowie miała światła, przez nie wszystko było przejmujące, zbyt jasne dla oczu. Widok walizek. Stały w kącie pokoju, schludne i ciasno upakowane. Wyjeżdża, już nie pasuje do tego pokoju, w którym tylko kilka jej rzeczy wciąż leży na swoim miejscu. I jest kimś innym przez to, co jej dzisiaj powiedział. Od samego początku sposób, w jaki do niej mówił, do jej wnętrza, nie obok niej, nad jej głową, wokół ramion. Tak mówili do niej inni, słowa odbijały się od jej skóry i uszu, spływały po niej, a ona, idealnie nieruchoma, nietknięta, zawsze sama. Gdyby mógł tak do niej mówić przez cały czas, codziennie. Gdyby całe życie mogło być takie. Światło w jej głowie było zbyt jasne, żeby zobaczyła, co jest w pokoju. Nie widziała już walizek, łóżka, o które się oparła, siadając na podłodze, flakonika perfum, które jej dał. Nie widziała.

Nie miałaby nic przeciwko ślepocie, gdyby nie ból. Powodowało go światło, raniło jej oczy, a nawet wywoływało ucisk w żołądku. Gdyby zapomniała o bólu, byłaby spokojna i pogrążyłaby się w ślepocie z przyjemnymi myślami, marząc, z coraz niższą temperaturą na zewnątrz. To dlatego, że Diane weszła do pokoju. Wtedy zaczął się ból, nagła zmiana, konieczność gwałtownego odsunięcia się od niego. Gdyby Diane zauważyła, że on trzyma ją za rękę, gdyby usłyszała... Lepiej o tym nie myśleć, lepiej nie myśleć o tym, że po początkowym zaskoczeniu Diane wydawałoby się to śmieszne, na tyle zabawne, żeby o tym opowiadać, soczysta wydziałowa plotka. Gdyby tylko mogła przestać o tym myśleć. Plotka, bardziej smakowita niż zwykle, ponieważ są niedobraną parą, z powodu tego, kim jest, jak się ubiera. Lepiej nie myśleć. Mieli szczęście, są bezpieczni. Lecz wciąż światło w jej głowie, gdybanie niczym kłębiące się węże, nigdy spokoju.

Nic, czego Allah zabrania swoim sługom, nie jest dobre. To ich tylko umniejszy, później lub wcześniej, w tym życiu lub przyszłym. Dzisiaj zawiodła. Zawiodła sama siebie i szacunek, jakim obdarzali go inni, mógłby zostać zagrożony. Jest takie przysłowie: „Upada tylko sprawny". Przez cały czas była ostrożna, czujna, lecz mimo to dzień dzisiejszy nadszedł płynnie i nieuchronnie, jakby przez cały czas na nią czekał, blisko, a nie daleko, tak blisko jak uśmiech.

Szukając przebaczenia Allaha. Pragnąc nadać sprawom taki kształt, jaki powinny mieć. Tylko w jeden sposób mogą przybrać taki kształt, można je oczyścić, wyprostować. Wiele miesięcy temu Yasmin spytała: „Masz nadzieję, że zostanie muzułmaninem, żebyście mogli się pobrać?", a Sammar zlekceważyła niepokój przyjaciółki, nadal płynęła z prądem, zbyt zachwycona tym, co było między nimi, żeby zadawać jakieś pytania. Teraz jednak nie może tego ciągnąć. Musi wiedzieć, musi się dowiedzieć. Nawet nie wie, jak bardzo jest przywiązany do swoich przekonań. Mogła go zapytać o tyle rzeczy, a tego nie zrobiła. A teraz wyjeżdża, zostawiając ich przyszłość płynną, nierozstrzygniętą, z niespokojnym sumieniem.

Światło w jej głowie, obrazy zamazane, niewyraźne. Migrena jak ta, którą miała, kiedy z Yasmin odwiedziła go w domu. Wydawało jej się, że to było bardzo dawno, a przecież miało to miejsce zaledwie przed czterema miesiącami, jesienią, a ona umyła kubki w kuchennym zlewie i spoglądała przez okno na światła w innych budynkach, na ogród na tyłach domu. Tego dnia czuła się mile widziana, czuła się jak u siebie, a to było dla niej za dużo, nie była dość silna i dlatego pojawił się ból.

Minęła pierwsza część nocy, trochę snu bez snów, światło jak kwas. Kiedy znów zaczęła widzieć, zobaczyła przez okno śnieg. Niebo było pełne śniegu, który padał tak, jakby nigdy nie miał przestać. Pokrywał puste ulice, zaparkowane samochody, dachy wszystkich domów. Kiedy była młoda w Chartumie i padało przez całą noc, budził ją grzmot i błyskawica tak dramatyczne, że myślała, iż nadszedł dzień Sądu Ostatecznego. Błyskawica rozłupywała niebo jak skorupkę jajka i wszystko, co było ukryte w mroku, ukazywało się w świetle.

Deszcz oznaczał dzień inny niż zwykle, bez szkoły, zalane ulice, wszystko w cieniu. Jeśli śnieg będzie padał tak intensywnie, jeśli do rana nie przestanie padać, drogi będą nieprzejezdne. Zdarzało się to w poprzednie zimy, może zdarzyć się i teraz. Rae nie pojechałby do Stirling, a ona mogłaby się z nim zobaczyć i zapytać, żeby zyskać pewność.

Może drogi nie będą przejezdne przez wiele dni, pociągi przestaną kursować i nawet ona, dzień później, nie będzie mogła wyjechać. Uniesienie tą myślą i padającym śniegiem. Tego naprawdę pragnie. Nie chce jechać do Egiptu, tłumaczyć rozmów w ramach programu antyterrorystycznego. Nie chce jechać do Chartumu po Amira, jeszcze nie, nie teraz. Jak Amir może tu przyjechać, skoro nie jest niczego pewna?

Gdyby śnieg wciąż padał, gdyby drogi były zasypane... Wiedziała, co zamierza zrobić, miała dość odwagi. Wszystko stanie się dobre i proste. Już nie należy do tego pokoju. Jej wyrok w tym pokoju się skończył: choroba, rekonwalescencja, powrót do zdrowia. Teraz pokój jest nagi i jałowy, oświetlony padającym śniegiem.

Świt, a ona zaczęła pakować ostatnie rzeczy. Dywanik modlitewny, kilka ubrań suszących się na kaloryferze, jakieś teczki i dokumenty z pracy. Koc, zasłony i przybory kuchenne znalazły się w pudle, które trafi do schowka. Flakonik perfum od Rae. Otworzyła go, a zapach był tak intensywny, że zaczął unosić się w pokoju, złagodził surowość chłodu. Myślała o tym, co mu opowie, o wszystkim, co dla niego przetłumaczy. Dużo wie. Jak w przypadku innych osób tutaj, świat przyciąga jego uwagę, mieści się w jego umyśle. Nie wie jednak o strumieniu Kawthar, Dniu Obietnic ani o tym, co chroni serce przed rdzewieniem. I ta równowaga, którą tak podziwia. Nie będzie w stanie jej zrozumieć, dopóki nie zacznie nią żyć.

Kiedyś, gdy przygniatało ją coś ciężkiego, nie mogła nic zrobić. Zesztywniała, zmuszająca się do modlitwy, nawet jej wiara była leniwa. Jednak Allah nagrodził ją nawet za te niedoskonałe modlitwy. Została uchroniona przed wszystkimi skrajnościami. Tabletkami, załamaniami, próbami samobójczymi. Pomiędzy nią a takimi rzeczami została postawiona bariera, równowaga, którą Rae podziwiał. Z powodu tego podziwu zbierze się na odwagę, żeby z nim porozmawiać. Uszczęśliwi go, tyle może dla niego zrobić.

Chciała mu gotować różne dania, a potem stać w kuchni i myśleć: powinnam się przebrać, umyć się, bo inaczej włosy i ubranie będą przesiąknięte zapachem jedzenia.

Mhairi mogłaby zamieszkać z nimi, nie musiałaby już uczyć się w szkole z internatem, a jemu by to pasowało. Mógłby codziennie widzieć córkę, nie musiałby jeździć do Edynburga. A Mhairi polubiłaby Amira, dziewczynki w jej wieku lubią młodsze dzieci. Byłaby dobra dla Mhairi, wszystko by dla niej zrobiła, sprzątała jej pokój, przygotowywała ubranie do szkoły. Traktowałaby ją jak księżniczkę. Kiedy szłyby razem na zakupy, kupowałaby jej ładne rzeczy, mydło pachnące malinami i różnej szerokości wstążki do włosów.

14

Ulice pełne były samochodów, które prawie się nie posuwały. Z powodu śniegu ronda i światła w mieście były praktycznie bezużyteczne. Tyle stóp śniegu, w radiu mówili, że od lat nie padał tak intensywnie. Chaos to rzadki gość w tym zorganizowanym mieście. Teraz było wytrącone z równowagi, spięte i uparte, upierające się, by żyć swoim codziennym rytmem. Sklepy muszą zostać otwarte, ludzie muszą dotrzeć do pracy. To świętość. Jeśli Sammar na próżno szukała jakiejś świętości w tym mieście, to teraz ją znalazła. Na twarzach ludzi, którzy zrzucali i zeskrobywali śnieg z samochodów, na twarzy zgiętej starszej pani, jakimś cudem wciąż na nogach, uderzającej w śnieg laską, bo musi dostać się na pocztę.

Słońce oświetlało cały ten chaos jaśniej niż zwykle, lśniąc na tle bieli pokrywającej wszystko. Słońce świecące jak w Afryce, które spowalnia miasto, odbiera mu efektywność, jakby było częścią Trzeciego Świata. Z tego Sammar czerpała siłę. Wiedziała o tym. To było znajome, naturalne i lecznicze dla duszy. Szła ze zgrabiałymi palcami, mimo iż miała wełniane rękawiczki, ze skostniałymi stopami. Ulice były długimi sznurami aut, niezdarnych autobusów i samochodów dostawczych. Chodniki pokrywał rozdeptany śnieg i płaty lodu. Łapanie autobusu nie miało sensu. Dzisiaj autobusy były słoniami.

Kiedy dotarła na uniwersytet, w kampusie panowała cisza bez typowej krzątaniny przychodzących i wychodzących studentów. Na parkingu stało niewiele samochodów, a te, które tam były, ustawiono pod dziwnymi kątami i w dużej odległości od siebie, ponieważ śnieg pokrył linie wyznaczające poszczególne miejsca. Kilkoro studentów korzystało ze śniegu, rzucając się śnieżkami. Mieli czapki i kolorowe szaliki. Śmiali się, zapominając o typowej dla nich powagi i obojętności. Wyglądało na to, że tego dnia odbywa się niewiele zajęć lub nie ma ich wcale. Uniwersytet, w przeciwieństwie do świata biznesu, skapitulował przed tym nietypowym dniem.

Sammar spotkała Yasmin na schodach przed wejściem. Jej ciąża była widoczna pomimo obszernego płaszcza, który Yasmin miała na sobie. Raczej szła do domu niż do pracy.

– Dzisiaj jest prawie pusto, nie ma sensu, żebym zostawała. – Wydmuchała nos. – Nie czuję się zbyt dobrze. Nie mogę pozbyć się tego przeziębienia.

– Jest Rae?

Yasmin pokiwała głową.

– Rozmawia przez telefon z jakimś dziennikarzem z Londynu... o porwaniu.

Sammar wiedziała o śniegu, ale nie o uprowadzeniu. Jednak nie wydało się ono czymś dziwnym. Cały dzień był inny, pod każdym względem uwolniony od codzienności.

– Samolot Libyan Airlines w drodze do Ammanu – wyjaśniła Yasmin. – Nie słyszałaś? Mówili rano w wiadomościach.

Słyszała, że w niektórych częściach Aberdeen nie ma prądu, nazwy szkół, które były zamknięte, niebezpieczne warunki na drogach.

Yasmin powiedziała, że samolot jest teraz na Cyprze. Porywacze chcą uzupełnić zapas paliwa, ale nikt jeszcze nie wie, dokąd zamierzają lecieć.

– Niedawno u Rae był Fareed. Dzwonili do Trypolisu. Chyba chodzi o uwolnienie więźniów politycznych w Libii. Potem Fareed poszedł na zajęcia. Wydaje mi się, że przyszła nie więcej niż połowa studentów, ale i tak postanowił, że się odbędą.

Yasmin znów wydmuchała nos. Było za zimno, żeby tak stać na schodach przed budynkiem.

– Lepiej już idź – powiedziała Sammar.

– Tak, żadna inna się nie pojawiła. – Yasmin miała na myśli pozostałe sekretarki.

– Warunki na drogach są fatalne.

– Dobrze, że Nazim nie jest na morzu – westchnęła Yasmin. – Masz szczęście, że wyjeżdżasz. Jutro, prawda?

– Jeśli pociągi będą kursowały. Dzisiaj je odwołali. – Sammar postukała butami o ziemię, żeby strząsnąć z nich śnieg.

– Lotnisko jest otwarte. Oczyścili pas. Możesz polecieć do Londynu, jeśli pociągi nie będą jeździły.

– Pewnie tak.

Nie było potrzeby mówić Yasmin, że nie chce wyjeżdżać, że nie zamierza wyjechać, że dzisiaj wszystko się zmieni. Mogła jednak powiedzieć *insha' Allah* bez poczucia, że kłamie. Powiedziała:

– *Insha' Allah*, jutro. Spakowałam się i przygotowałam.

Pożegnały się, mówiąc, że przez dłuższy czas się nie zobaczą.

Kiedy weszła do gabinetu Rae, wciąż rozmawiał przez telefon. Wystarczyło jej, że siedzi i słucha jego głosu, czuje jego obecność, od czasu do czasu posyła mu uśmiech. Siedziała w jednym z brązowych foteli stojących w pewnej odległości od biurka. Rozmawiał przez telefon tak, jak z każdym oprócz niej: chłodniej, szybciej. Czasem robił notatki, uśmiechał się do niej. Nie wyglądał na smutnego, jak poprzedniego dnia, kiedy przekazał jej wieści o swoim wuju. To ją ucieszyło i czuła się dumna, że chcą poznać jego opinię, dzwoniąc z Londynu, gdzie muszą mieć wielu własnych ekspertów z dziedziny Bliskiego Wschodu.

Kwestie polityczne w Libii i jasne słońce w pokoju, promienie docierające do półek z książkami, szafy na dokumenty. Na szafie naklejki: „Badania", „Administracja", „Nauczanie". Jej praca z nim mieściła się pod naklejką „Badania". To, co tłumaczyła, stanowiło część materiałów źródłowych do artykułów, które publikował w czasopismach, prezentował na konferencjach.

– Więc nie pojechałeś do Stirling? – powiedziała, gdy skończył rozmawiać przez telefon.

– Pojadę po południu, jeżeli droga będzie odśnieżona.

Chciała go spytać, czy spóźni się na pogrzeb, kiedy telefon znów zadzwonił. Tym razem był to kolega z pracy, ktoś, z kim czuł się swobodnie, bo śmiał się, omawiając temat uprowadzenia, powiedział, że przez pół nocy nie spał, słuchając wiadomości, i tak, było prawie tak ciekawie jak w latach siedemdziesiątych, ale sprawa raczej nie dorówna Entebbe.

Kiedy słuchał, zapadała cisza, a ona nie wiedziała, na jaki temat toczy się rozmowa. Słyszała studentów bawiących się w śniegu na ulicy. Śmiech wpadał przez okno.

Kilka słów Rae, urywki: „Znów nam obcinają fundusze"... „Nie wiedziałem o tym"... „Paryż! Ale masz szczęście".

Kiedy skończył, powiedział:

– Przepraszam.

Pomyślała o tym, żeby pojechać z nim do Stirling po południu. Kierowaliby się na południe, a na poboczu drogi piętrzyłby się śnieg. Zatrzymaliby się, żeby zatankować, a on kupiłby jej w sklepie na stacji wodę mineralną i słodycze. Wyszedł zza biurka i usiadł obok niej, pochylił się, żeby ją pocałować, ale ona odsunęła głowę. Jego broda otarła się o jej szal. Roześmiali się krótko, przez chwilę zażenowani, nerwowym śmiechem przypominającym oddech. Jednak w ciszy, która zapadła, ona umocniła się w swoim postanowieniu.

– Chcę cię o coś prosić.

– Proś.

Był bardziej powściągliwy niż wtedy, kiedy rozmawiał przez telefon.

– Chcę cię poprosić, żebyś został muzułmaninem, żebyśmy mogli...

Nie starczyło jej odwagi. Nie była w stanie na niego spojrzeć. Patrzyła na rękawiczki na swoich kolanach. Gdyby to mogło się naprawdę zdarzyć, pojechałaby z nim do Stirling, żeby być z nim sam na sam, znaleźć stabilizację. Z jej ust wyrwały się kolejne słowa:

– Przez cały czas mam ochotę z tobą o tym porozmawiać, ale to takie trudne. Dyskutujemy o islamie, kiedy zajmujemy się pracą, a to co innego niż sposób, w jaki chcę z tobą porozmawiać.

Złożyła rękawiczki i je rozłożyła.

Kiedy nic nie odpowiedział, podniosła wzrok. Jeśli w jego oczach zobaczy rezerwę, zaskoczenie, poczuje między nimi mur, wycofa się. Jednak zobaczyła cierpienie, które wystarczyło, żeby poczuła litość. Zapragnęła się nim opiekować.

– Chcesz porozmawiać o shahadah? – jego głos brzmiał normalnie.

– Tak.

Założyła rękawiczki.

– Zimno ci?

– Nie.

W pokoju było słonecznie, ale zimno brało się z jej wnętrza. Przyszła z nim z dworu.

– W szafce na korytarzu jest przenośny grzejnik, mogę go przynieść.

Pokręciła głową.

– Nie, nie trzeba.

Z jakiejś przyczyny po tym było łatwiej rozmawiać, powiedzieć to, co chciała, i tak, jak chciała. To nie było trudne, pojawiła się pewność siebie.

– Chcę z tobą porozmawiać o shahadah, o tym, co to znaczy. – Odetchnęła głęboko i podjęła: – To dwie rzeczy razem, obydwie zaczynają się od słowa „zaświadczam". Zaświadczam, świadczę o czymś, co jest nieuchwytne, niewidoczne, ale w sercu wiem, że to prawda. Nie ma innego boga niż Allah, nic innego nie jest godne czci. To pierwsza rzecz... Potem druga rzecz... Zaświadczam, że Mahomet jest Jego Prorokiem, prorokiem nie tylko dla Arabów, którzy go widzieli i słyszeli, ale dla wszystkich, w każdym momencie.

Przyszło jej do głowy, że musi wytłumaczyć wszystko jak należy, musi mówić jasno.

– Przedtem też byli prorocy, Mojżesz i Jezus, a także inni. Każdy posłaniec pojawia się z własnym dowodem, cudem dopasowanym do jego czasów. Czymś wywierającym ogromne wrażenie na jego narodzie, czymś, co sprawia, że ludzie chcą go słuchać. Chociaż nawet mimo tych cudów nie wszyscy wierzą. Cudem Mahometa, niech pokój będzie z Nim, był Koran, z którym został przysłany. I różni się on od cudów innych proroków, ponieważ wciąż jest z nami... wciąż jest dostępny. Dla Arabów, którzy pierwsi o nim usłyszeli, był czymś nowym i dziwnym, ni to poezją, ni prozą, czymś, o czym nigdy wcześniej nie słyszeli. Kiedy recytowano pierwsze wersy Koranu, wiele osób płakało, słysząc słowa i ich brzmienie...

– Tłumaczenia nie oddają mu sprawiedliwości. Dużo traci... – zauważył Rae.

– Tak, znaczenia można przetłumaczyć, ale nie odtworzyć. Nie można też, oczywiście, odtworzyć jego cudu... Ale nawet wtedy, słysząc go z ust Proroka, niech pokój będzie z Nim, nie wszyscy uwierzyli. Nie wszyscy zaakceptowali, że źródłem i autorem słów, które słyszeli, jest Allah. Na początku uwierzyły głównie kobiety i niewolnicy. Nie wiem dlaczego, może mieli bardziej miękkie serca, nie wiem...

– Może nie mieli dużo do stracenia poprzez przemianę?
– To władcy Makkah nie chcieli zrezygnować ze swoich tradycji i ustalonych zasad dla czegoś nowego.

– W Makkah bardzo źle traktowano pierwszych muzułmanów – ciągnęła Sammar. – Mahomet był znany przez wszystkich jako Al-Amin. Oznacza to „być uczciwym", „godnym zaufania", ale kiedy powiedział: „Jestem posłańcem Allaha", nazwano go kłamcą, szaleńcem, poetą. Ludzie mają takie właśnie wątpliwości... Allah mówi nam przez Koran, wciąż nam przypomina, że te wersety nie są słowami poety, są boskim objawieniem, absolutną prawdą. Wszystko w mojej religii wywodzi się od tego, od słów Koranu, które, jak mi powiedziałeś, papież w siódmym wieku odrzucił jako herezję... Teraz powiedz mi: wierzysz czy nie?

Podeszła do okna. Płatki śniegu szybowały z dachu na ziemię, talk, cukier puder. Zobaczyła studentów, których głosy słyszała przez cały czas. Byli na parkingu, dwóch chłopców toczących wielką śnieżną kulę, szarą od brudu z ziemi. Śmiali się, opierając ją o drzwi jednego z samochodów. Czuła się stara, przyglądając im się. Byli młodzi i nie mieli zbyt wielu obowiązków. Jeśli Rae powie „nie", na jakie wygnanie się skaże? Jeśli powie „nie", ona wyjdzie na śnieg, na wygnanie, które zabierze ze sobą bez względu na to, dokąd się uda.

Kiedy się odwróciła, powiedział:

- Nie jestem pewien.

Spodziewała się „tak" lub „nie". Wiedziałaby, co odpowiedzieć, gdyby powiedział „tak". Wiedziałaby, co zrobić, gdyby powiedział „nie".

Usiadła i ponieważ nic nie mówiła, on powtórzył:

- Nie jestem pewien.

- Wiesz, co to dla nas oznacza?

- Wiem. Zawsze wiedziałem.

- Pomyślałam sobie, że moglibyśmy się dzisiaj pobrać. - Jej głos ją zaskoczył i zapiekł jak papier ścierny, morska sól. - Teraz. I mogłabym z tobą pojechać do Stirling. Nie chcę jechać do Egiptu.

- Jak mielibyśmy się teraz pobrać?

W jego głosie ten sam ból.

- Pomyślałam, że Fareed mógłby nam udzielić ślubu i nie byłoby trudno znaleźć dwóch świadków.

Widziała studentów w roli świadków. Nawet mimo takiego śniegu udałoby im się znaleźć dwóch muzułmańskich studentów. Nie tak wyszła za mąż za Tariqa, ale tak jest, kiedy ludzie żyją samym islamem. Dwoje świadków i podarunek. Podarunek, nawet najdrobniejszy. W czasach Proroka dwa rozdziały Koranu były dopuszczalnym prezentem od mężczyzny, który nie miał swojej młodej żonie niczego do zaoferowania oprócz wersetów, które zapamiętał. Obecnie w krajach muzułmańskich podarunek przybrał formę złota i banknotów dolarowych, niekończących się dyskusji, kto kupi wideo, a kto lodówkę z zamrażarką.

W pokoju panowała cisza. Pomyślała: dlaczego on milczy, dlaczego do mnie nie mówi? Pomyślała: dlaczego jestem otępiała, dlaczego jeszcze nie płaczę?

– Myślałem, że tęsknisz za domem – odezwał się wreszcie. – I że ten projekt antyterrorystyczny będzie dla ciebie szansą, żeby pojechać do Chartumu, zobaczyć syna. Może popełniłem błąd, sugerując ci to...

– To nie był błąd. Tęskniłam za tamtym miejscem, za tym, jak wszystko tam wygląda. Ale nie wiem, na jaką chorobę bym zapadła po rozstaniu z tobą.

– Wiem, że moja choroba byłaby...

– Więc nie mów „nie". Brak pewności jest lepszy niż „nie", nigdy nie mów „nie".

– Nie jestem z natury religijny. Studiowałem islam dla potrzeb polityki Bliskiego Wschodu. Nie zgłębiałem go dla siebie. Nie szukałem czegoś duchowego. Niektórzy ludzie tak robią. Mam znajomego, który pojechał do Indii i został buddystą. Ale ja taki nie byłem. Wierzyłem, że najlepsze, co mogę zrobić, to, co jestem winien miejscu i ludziom, którzy dużo dla mnie znaczą, to być obiektywnym, zdystansowanym. W powodzi uprzedzeń i hipokryzji chciałem być jednym z niewielu, którzy mówią to co rozsądne i właściwe.

– To nie wystarczy. – Zacisnęła dłonie. – To nie wystarczy. Mnie to nie wystarczy.

Pochylił się i oparł łokcie o kolana, chowając twarz w dłoniach.

– Nie zdajesz sobie sprawy, jak bardzo mnie zraniłeś, mówiąc „obiektywny" i „zdystansowany", jakbyś był ponad tym wszystkim, ponad mną, patrzył z góry...

– Nie, to nie tak... – Jego twarz pociemniała, jakby za mocno przyciskał do niej dłonie.

– Właśnie, że tak. Patrzenie z góry, twierdzenie, że to nie ma z tobą nic wspólnego, że to nie dla ciebie. Chociaż wiesz doskonale, że to dla wszystkich. Wiesz, że to nie tylko dla Arabów. Znasz liczby, wiesz lepiej ode mnie, jaki procent stanowią Chińczycy, Rosjanie...

– Nie powiedziałem, że to nie ma ze mną nic wspólnego. Tego nie powiedziałem.

– Nie pocieszasz mnie, nie mówisz nic, co by mnie uspokoiło. – Trzęsła się. Gdyby nie zaciskała zębów, zaczęłyby szczękać.

– Zimno ci. W tym pokoju czasem robi się zbyt zimno.

Pokiwała głową. Tyle słońca, radosny śmiech dochodzący przez okno, i żadnego ciepła.

– Przyniosę grzejnik z szafki.

Jego nieobecność była surowa, gwałtowna. Pokój zrobił się ponury, zagracony: książki, papiery, telefon, który dzwonił tylko do niego. Siedziała tam, gdzie siadali jego studenci, w tym samym fotelu, panikując z powodu swoich egzaminów, problemów finansowych, na krawędzi rzucenia studiów. Była pewna, że podchodził do nich racjonalnie, naprawdę się nimi przejmował. Uświadomiła sobie, że przyszła do jego gabinetu, prosząc go, żeby się z nią ożenił, a on nie powiedział „tak". Nie powiedział „tak", a ona nadal tu siedzi, uczepiona. Nie ma dumy. Gdyby miała dumę, poszłaby sobie. A zamiast tego siedzi.

Wrócił, ciągnąc duży grzejnik na kółkach. Minęło trochę czasu, zanim rozplątał kabel i włożył wtyczkę do kontaktu. Jego ruchy były powolne, nieco niezdarne, jak ktoś, kto nieczęsto robi takie rzeczy.

Pręty grzejnika pojaśniały na różowo i pomarańczowo. Kiedy usiadł, powiedział:

– Bądź cierpliwa, nie wiem, co robić... Tyle szarpaniny, a ja nigdy w życiu z nikim nie czułem większej empatii.

Nie rozumiała znaczenia słowa „empatia". Czasami używał słów, których nie rozumiała, słów, o których wytłumaczenie go prosiła. „Atmosfera lat sześćdziesiątych", „celtyckie", „nabity". Dzisiaj nie mogła spytać. Brzmiało to jak „sympatia" i pomyślała, że się nad nią lituje*. W jego oczach zawsze musiała wyglądać na bezradną i żałosną.

---

* *Sympathy* (ang.) – „współczucie".

Jakimś cudem była w stanie mówić, spróbować po raz ostatni.

– Wystarczy, że powiesz shahadah. Moglibyśmy się pobrać. Gdybyś tylko powiedział te słowa...

– Muszę być pewien. Pogardzałbym sobą, gdybym nie był pewien.

– Ale ludzie tak się pobierają. Tu, w Aberdeen, są ludzie, którzy tak się pobrali...

– My nie jesteśmy tacy. Ty i ja jesteśmy inni. Dla nich to symboliczny gest.

Pomyślała, teraz to jasne, jasne jak słońce, nie kocha mnie wystarczająco mocno, nie jestem dość piękna. Nie jestem dość kobieca, przychodząc tutaj i prosząc, żeby się ze mną ożenił. Powinnam była poczekać, aż on mnie poprosi.

– Dlaczego więc ze mną rozmawiałeś? Dlaczego to wszystko zacząłeś? Powinieneś był zostawić mnie w spokoju. Nie miałeś prawa. Jeśli byłeś zadowolony ze swojej religii...

– Nie jestem zadowolony, jest zbyt wiele spraw, których nie potrafię sam przed sobą usprawiedliwić. Oczywiście, że nie jestem zadowolony. Czy to nie jest dla ciebie jasne?

– Żałuję, że ci zaufałam. – Zobaczyła ból w jego oczach. – Do czego, twoim zdaniem, to miało doprowadzić?

– Wyobrażałem sobie, że minie więcej czasu, zanim...

– Od początku powinieneś był spojrzeć na mnie i stwierdzić: ona nie jest dla mnie.

– Nie, nie mogłem.

Ukrył twarz w dłoniach, uciskając oczy i skronie.

– Tak, to by było rozsądne. Obiektywne i zdystansowane, jak mówisz. Czego więc ode mnie chcesz?

Starała się mówić z sarkazmem, chłodno i z sarkazmem, ale zabrzmiało to gorzko i dziecinnie.

Nie patrzył na nią, siedział z twarzą ukrytą w dłoniach. Gdyby na nią spojrzał, być może by zamilkła. Ale nic nie mogło jej powstrzymać.

– Nie dam się nabrać tylko dlatego, że byłeś dla mnie dobry i zwracałeś na mnie uwagę. To wszystko. Ale zawsze byłbyś kimś drugiej kategorii... A ja nie chcę do końca życia mieszkać tutaj, z tą głupią pogodą i głupim śniegiem. Wiesz, czego ci życzę? Wiesz, o co będę się modliła i jak cię przeklnę? Będę się modliła o to, że skoro nie ja, to żadna inna, i żebyś do końca życia był samotny i nieszczęśliwy. Naprawdę musi być coś z tobą nie tak, skoro dwa razy się rozwodziłeś. Nie raz, ale dwa razy...

Powstrzymał ją dźwięk, ruch jego ramion. Wystraszył ją. Ponieważ wciąż miał twarz ukrytą w dłoniach, myślała, że płacze. Myślała, że zraniła go na tyle mocno, że się rozpłakał. Przez sekundę czuła triumf, szalone szczęście na myśl: jednak mnie kocha, dobrze, nie jestem mu obojętna.

Podeszła do niego, żeby położyć mu rękę na ramieniu, żeby powiedzieć: „nie płacz". Nie powstrzymały jej jego słowa:

– Odejdź. – Nie usłyszała, kiedy powiedział: – Wynoś się stąd.

Dopiero kiedy na nią spojrzał. Nie płacząc, myliła się, tylko patrząc na nią w sposób, w jaki nigdy wcześniej na nią nie patrzył. Miał inny głos niż ten, którym zawsze do niej mówił. Tym razem usłyszała wyraźnie, jak powiedział:

– Zostaw mnie.

Posłuchała go. Odwróciła się, podniosła torebkę z podłogi. Znalazła gałkę w drzwiach, otworzyła je, wyszła z pokoju, nie oglądając się za siebie. W dół schodami, na dwór, na słońce i śnieg. Wszystko jasne i zimne. Dym w miejsce jej oddechu, śnieżne drobinki diamentów do deptania.

15

Posłuchała go. Wróciła do domu i wezwała taksówkę. Zniosła walizki na dół, zapukała do drzwi Lesley po klucz do piwnicy, żeby schować pudła z rzeczami, których ze sobą nie zabierała.

Jazda na lotnisko była powolna, ale samochody jechały, nie stały tak jak wcześniej tego samego dnia. Na lotnisku wpisali ją na listę rezerwową. Poranne loty do Londynu były opóźnione, wciąż czekali pasażerowie z wcześniejszych rejsów. Ale jedno miejsce do Londynu, na Heathrow albo Gatwick, powiedzieli, że ma dużą szansę wylecieć przed wieczorem.

To było luksusowe czyste lotnisko, zapełnione nafciarzami w drodze na Szetlandy, kobietami z małymi dziećmi, mężczyznami w garniturach. Oczom Sammar nic nie umknęło. Widziała wszystko, rejestrowała wszystko. Jej umysł nie chciał myśleć, nie chciał rozwodzić się nad niczym ani o niczym decydować. Tylko jej widzenie, tyle do obejrzenia, wszystko boleśnie jasne.

Sklepy na lotnisku. Słodycze dla Amira. Coś szkockiego dla Hanan. Głód, wilczy głód. Długa kolejka w bufecie. Wegetariańska lazagne, bardzo dobra, dużo roztopionego sera, biały sos. Ciastko czekoladowe. Cappuccino.

Pójście do toalety. Jej twarz w lustrze, niezbyt ujmująca, ale tu nie ma zaskoczenia. Umyć ręce. Nie podoba mi się zapach tego mydła. Nacisnąć przycisk i wylatuje ciepłe powietrze. Nowoczesna technologia.

Siedziała na zielonym krzesełku i czytała informacje na monitorze, *Przyloty*, *Odloty*, czytała od nowa i od nowa. Czując słabnące słońce za oknem. Czas się pomodlić i smutek, że na lotnisku nie ma gdzie się pomodlić. Gdyby wstała i pomodliła się w kącie, ludzie dostaliby szału. Historia kiedyś opowiedziana przez Yasmin: Turcy modlili się w Londynie w Terminalu 1 i ktoś zadzwonił na policję.

Sammar pomodliła się tam, gdzie była, na siedząco, nie ruszając się.

Za kilka godzin opuści to miejsce. Wyjedzie. Wyjedzie. Wydostanie się stąd.

Zegar na ścianie. Dwadzieścia cztery godziny temu nawet nie wiedziała, że zmarł wuj Rae. Dwadzieścia cztery godziny temu. Wystarczy, żeby złamać umysł. Nie myśl. Rozglądaj się, szeroko otwórz oczy.

Wejście na pokład samolotu. Wczesny mrok zimy. Za podwójnymi szybami terminalu podmuchy mroźnego wiatru... wejście metalowymi schodkami do samolotu. Uśmiechnięte stewardesy, za mocny makijaż, wręczają jej wieczorną gazetę. Granatowe fotele, charakterystyczny zapach samolotu, odgłos wkładania bagaży do schowków nad głową.

Zapiąć pasy. Zakaz palenia podczas lotów krajowych British Airways.

Na okładce gazety zdjęcie porwanego samolotu na pasie do kołowania na Cyprze. W gazecie dzisiejsza data. Czwartek. Ma wyjechać jutro. Już jutro. Nie był to zbyt dramatyczny lot. Nikt nie zauważy, że zniknęła. Wydała pieniądze na bilet lotniczy, przepadł jej jutrzejszy bilet na pociąg. Ale powiedział: „odejdź, wynoś się stąd".

Start, ryk przy starcie, przyspieszenie, przyspieszenie i skok w powietrze. Samolot uniósł się nad miastem. W półmroku świat na dole był poplamiony śniegiem. Sammar wyjrzała przez okno i zobaczyła miniaturowe domy, samochody i drzewa, blade spienione morze. Małe skupione miasto, które wyśmiało jej nadzieje.

Część druga

...mgła opadła i obudziłem się drugiego dnia po przyjeździe w znajomym łóżku, w pokoju, którego ściany były świadkami trywialnych wydarzeń mojego życia w dzieciństwie i początkach dojrzewania... Usłyszałem gruchanie turkawki i spojrzałem przez okno na palmę rosnącą na dziedzińcu naszego domu... patrzyłem na jej silny prosty pień, korzenie wbijające się w ziemię, zielone gałęzie luźno zwisające z czubka i doświadczyłem uczucia pewności. Nie czułem się jak targane sztormem piórko, ale jak palma, istota z historią, z korzeniami...

Tayeb Salih (1969)

16

Teraz nosiła okulary. Przyciemniały błękit nieba, budynek, który wyrósł na pustym kiedyś placu przed domem ciotki. Spółdzielnia w godzinach pracy wypełniająca ulicę hałasem i zaparkowanymi samochodami. Jej okulary zabarwiały ogród na niebiesko, a suche pasy na żółto, postacie z Disneya w basenie dla dzieci. Postawiła brzegi basenu i zaniosła go w cień, napełniła wodą, która, gorąca, wypłynęła z węża ogrodowego. Dwie godziny przed zachodem słońca, a słońce było plamą niebieskiego żaru, wciąż zbyt jaskrawą dla oczu, które widziały mgłę i śnieg. Sammar siedziała na ganku niedaleko kaktusów w glinianych doniczkach, bugenwilli w porowatym błocie. Głosy i śmiech dzieci. Ich widok. Były w bieliźnie: spodenki Amira ciężkie od wody, Dalii białe, przylepione do ciała i prześwitujące, a bliźniaków, Hassana i Husseina, w czerwono-zielone prążki. Dzieci zachlapały trawę wokół basenu i teraz była zabłocona i grząska, zdeptana w cieniu eukaliptusa.

Dom za plecami Sammar spał, owiewany wiatrakami i klimatyzatorami. Sjesta przed zachodem słońca i czas na modlitwę i herbatę, wyjście albo goście parkujący samochody na chodniku przed domem. Dom ciotki był domem otwartym, wiele osób przychodziło i wychodziło, energiczne otwieranie butelek, woda gotująca się na herbatę, specjalne tace dla gości, elegancka cukierniczka. Hanan mieszkała na samej górze z mężem i czwórką dzieci. Sammar poznała Dalię, która była w tym samym wieku co Amir, ale dwuletnie bliźniaki widziała tylko na zdjęciach. I rzecz jasna niemowlę, które było najmniejsze, a teraz spało z Mahasen na dole. Sammar siedziała na ganku i nie było ani podmuchu, ani żadnej wilgoci w powietrzu, jedynie żar, suchość, pustynny piasek. Jej kości były z tego zadowolone, znów mocne, młode. Zapomniały, jak kiedyś były zaciśnięte. Jej skóra pociemniała od słońca, oczyszczona, zapominająca o wełnie i rękawiczkach. Czekała, aż zapomni o wszystkim innym: swoim wnętrzu i oczach. Jej oczy ją zawiodły, nie były tak silne jak w przeszłości, nie tak silne jak oczy tych, którzy nie podróżowali na północ. Musi je osłaniać niebieskimi soczewkami i czekać, aż zapomną, jak zapomniały jej kości i skóra. Chciała na nowo podjąć tutaj życie. Ludzie uśmiechają się, kiedy wchodzę do pokoju, a to drzewo jest dla mnie, ten mizerny ogród, to słońce. Wszystkie te dzieci są moje, to, które nosiłam w sobie, i te, których nie nosiłam.

Nikt mi tutaj nie powie: „Wynoś się stąd, odejdź, zostaw mnie".

– Sammar, Sammar! – woła ją córka sąsiadów zza ściany. Sammar przecięła ganek, zeszła po schodach w stronę garażowej wiaty. Był tam kran i zlew na ziemi, zbudowany z betonowych ścianek. Stojąc na nim, mogła rozmawiać z Nahlą, która balansowała na oparciach krzesła. Dwa dni temu straciła równowagę i spadła. Jednak niezrażona znów uścisnęła dłoń Sammar i pocałowała ją przez mur.

– Jeśli znów spadniesz, połamiesz się i na ślubie będziesz cała w bandażach. – Nahla w przyszłym miesiącu wychodziła za mąż. Była piękna, z dołeczkami i chustami w ciemnych kolorach, które nigdy nie zsuwały jej się z włosów, prostokątny kawałek gazy opadający po obu stronach twarzy, jakimś sposobem utrzymujący się bez spinki czy broszki.

– Nie spadnę. Ostatnim razem poślizgnęłam się przez te głupie sandały.

– A co masz teraz na nogach?

– Jestem boso. Weź dzieci i przyjdź do mnie.

– Nie mogę. Pływają.

– W czym?

– Kupiłam im brodzik. Ciotka Mahasen chciała, żebym kupiła wrotki dla Amira, ale zamiast tego sprawiłam im basen. Jestem tu od miesiąca i dopiero dzisiaj udało mi się nalać wody. Chodź, zobaczysz. Ładnie wyglądają.

Kilka minut później Nahla podziwiała brodzik. Zdjęła sandały, uniosła spódnicę i weszła do wody, zwiększając jeszcze ekscytację dzieci. Amir oparł się o ściankę i woda zaczęła się wylewać.

– Przestań, Amirze. Wylejesz całą wodę. – Nahla złapała go za ramię i pociągnęła, ale się wyrwał. Widać mu było żebra, a na kolanach blizny od skaleczeń i ugryzienia komarów.

Sammar wzięła wąż ogrodowy, żeby dolać wody do brodzika. Pochlapała Amira i Dalię, a oni uciekli z piskiem z basenu na drugi koniec ogrodu, wstążka we włosach Dalii, mokra i opadająca na ramiona. Hassan pochlapał sobie twarz wodą i zaczął pluć i łapać powietrze, jego włosy, mokre loki zakrywające czoło.

– Przepraszam, kochanie. – Sammar odłożyła szlauch i wytarła jego zdumioną twarz. Nie rozpłakał się i niebawem wrócił do zabawy polegającej na napełnianiu kubka wodą i wylewaniu jej z brodzika.

– Sammar, wejdź do brodzika, woda jest przyjemna. Już nie jest mi tak gorąco.

– Nie, jestem za stara. – Sammar uśmiechnęła się i odwróciła, żeby spłukać kurz z krzaków jaśminu rosnących wzdłuż granicy ogrodu.

– Nie jesteś stara. Nie widziałaś Hanan?

Nahla wydęła policzki i przeszła się, teatralnie brodząc w wodzie z jednego końca brodzika na drugi.

Sammar się roześmiała, patrząc, czy Dalia zauważyła, że mówią o jej matce. To jednak była prawda. Hanan wyglądała jak matrona i ruszała się tak, jakby nadal była w ciąży.

– To tylko z powodu dziecka – powiedziała, odkładając szlauch, żeby podlać rabatki. – Szybko schudnie, zwłaszcza że już wróciła do pracy.

Hanan była dentystką.

– Była taka, nawet zanim urodziła dziecko. Nie widziałaś jej. Nie, ty wyglądasz o lata młodziej od niej.

Sammar zdjęła okulary. Światło słoneczne miało kolor olśniewającej bieli, bezwzględnej. Rąbkiem bluzki starła wodę z soczewek. Komplementy na temat jej wyglądu sprawiały, że sztywniała od środka. Jaki mają sens?

– Jak się miewa twoja matka? – zapytała.

Matka Nahli chorowała na malarię. Wczoraj Sammar i Mahasen poszły ją odwiedzić.

– *Al hamdulillah*, dzisiaj wstała. O wiele lepiej. Ale boję się, że przygotowania do ślubu ją zmęczą. – Kopnęła wodę, robiąc drobne fale. – Niezbyt nam się szczęści.

– Dlaczego?

– Klub Syryjski jest zarezerwowany w dniu, na którym nam zależało.

– Spróbujcie w innym klubie.

– Syryjski jest najlepszy, więc może zmienimy datę. – Nahla pochyliła się i zaczęła się bawić miseczkami i kubkami bliźniaków, pokazując im, jak przelewać wodę z jednego do drugiego.

– Od wieków nie byłam na ślubie – westchnęła Sammar. – Twój będzie pierwszy.

– Nie chodziłaś na śluby w Szkocji?

– Nie.

Nahla patrzyła na nią szeroko otwartymi, obwiedzionymi kreską oczami.

– Dlaczego?

– Nie znałam tam zbyt wielu osób. Czasem widziałam młode pary robiące sobie zdjęcia przed kościołem. Nie pobierają się, jak my, w domu. Pobierają się w kościele albo...

– Tak, widziałam na filmie. – Nahla nie wydawała się zainteresowana tym, jak ludzie się pobierają w innych częściach świata. – Mam nadzieję, że twoja ciotka Mahasen przyjdzie na mój ślub.

– Nie wiem. Chodzi na śluby?

– Nie. Od czasu Tariqa nie. – Nahla przerwała. – Niech Allah się nad nim zlituje.

– Niech Allah się nad nim zlituje – powtórzyła Sammar. – Nawet jeśli ciotka Mahasen nie pójdzie na przyjęcie do klubu, przyjdzie na *agid* do twojego domu.

Nahla wyszła z brodzika, ochlapując sobie sandały. Ładne kostki, pomalowane paznokcie, przygotowania panny młodej. Sammar też kiedyś taka była, lata temu, lata przed Szkocją, przed śmiercią Tariqa.

Tutaj, w tym domu, w tym języku i w tym miejscu, gdzie są wszystkie wspomnienia. Wszystko, co zostało jej zabrane. Zdjęcie Tariqa, kiedy pierwszy raz weszła do domu. Uśmiechnięty, rozparty na krześle, taki swobodny. Taki młody. Taki młody i pewny siebie w porównaniu z nią. Już jej nie znał. Młody mężczyzna na zdjęciu nie znał Sammar, która mieszkała sama w Aberdeen. Rozpłakała się na widok tego zdjęcia, łzy wywołane zmęczeniem po podróży, wysiłkiem ostatnich tygodni w Egipcie, ekscytacją, że znów zobaczy Amira, a on chłodny, przyjmujący jej uściski i pocałunki tak, jakby przyjmował je od jednego z wielu gości i krewnych pojawiających się w jego życiu. Kiedy płakała, jej ciotka i Hanan też zaczęły płakać. Hanan karmiąca dziecko, szlochająca w chusteczkę, Mahasen nieruchoma, z poważną twarzą, łzy płynące bez skrzywienia na twarzy, bez szlochania odbierającego godność. Dopiero kiedy się razem rozpłakały, zaczęła znikać niezręczność ich spotkania, lata jej nieobecności. Dopiero wtedy pojawiło się swego rodzaju potwierdzenie, że jest tym, kim jest, matką Amira, wdową po Tariqu, wracającą do domu.

Odprowadziła Nahlę do bramy, potem trzeba było zabrać dzieci z basenu, zaprowadzić je do domu, zrobić im prysznic. W łazience było tak gorąco, że lał się z niej pot, podczas gdy z dzieci lała się woda. Mydło i piski. „Wpuściłaś mi mydło do oka!", krzyki, poczucie winy, oskarżycielskie, zaczerwienione oko Hassana, jego śliska ręka uderzająca w jej spódnicę.

– Niedobra Sammar, brzydka Sammar!

Talk i czyste ubranie.

– Nie włożę jej. – Dalia skrzyżowała ręce na piersi z całą stanowczością jej matki.

– Dlaczego nie? Jest śliczna. To śliczny króliczek.

– Jest brzydki.

– Amirze, uważasz, że jest brzydki?

– Nie.

– Widzisz, Amir uważa, że jest śliczny, a mama, kiedy się obudzi, też pomyśli, że jest śliczny, i babcia Mahasen...

– Chcę włożyć czerwoną.

– Czerwona jest w praniu. Jest brudna.

– Chcę czerwoną.

– Nie możesz włożyć czerwonej koszulki. Włóż tę z królikiem, to zabiorę cię ze sobą dzisiaj wieczorem.

– Dokąd idziecie?

Sammar włożyła Dalii przez głowę t-shirt z królikiem. Nie było oporu. Dziecko przecisnęło ręce przez rękawy i spojrzało wyczekująco na Sammar.

– Idziemy do domu wuja Waleeda.

Dalia się skrzywiła. Nie pamiętała, kim jest wuj Waleed.

– To mój brat – wyjaśniła Sammar. – Mają balkon z ptakami w klatce, pamiętasz? – Wygładziła brwi Dalii. – Wyjdźmy z tego gorąca. – Otworzyła drzwi łazienki, ciesząc się, że może wyjść z zaduchu na chłód korytarza.

Korytarz prowadził do salonu, gdzie stał telewizor i duży klimatyzator. Pod ścianą dwa łóżka i trzy stare fotele. Były tam stołki dla dzieci i mały okrągły stolik do kawy zrobiony z lekkiego drewna, który chybotał się i kiwał, lecz mimo to pełnił funkcję stołu jadalnego oraz biurka, przy którym Amir i Dalia każdego popołudnia odrabiali lekcje. W domu był drugi salon, nazywany przez wszystkich *sallown*. Przeznaczony dla oficjalnych gości, pokój bez życia, nie do codziennego użytku. Sammar przyjęła tu kilkoro swoich przyjaciół, którzy przyszli ją przywitać. Siedziała z nimi, świadoma ślubnego zdjęcia jej i Tariqa, ona jako panna młoda, wyglądająca beztrosko i młodo. „Nie uważasz, że lepiej zabrać to zdjęcie z *sallown*"? – zapytała ciotkę, a w odpowiedzi otrzymała podejrzliwe spojrzenie, pośpieszne

„nie". Mahasen musiała się poskarżyć Hanan, ponieważ następnego dnia Hanan powiedziała: „Moja matka wciąż nie może się z tego otrząsnąć. Sammar. Proszę, na Allaha, nie denerwuj jej. To był jej jedyny syn".

Jej jedyny syn. Tak było, od kiedy przywiozła Tariqa do domu, samolotem, w skrzyni. Jej jedyny syn. Słowa na ustach wszystkich, wypowiadane z niedowierzaniem, zmarł syn Mahasen, zmarł syn Mahasen. Jej jedyny syn. Zostawił sierotę. Biedna sierota. Moje serce pęka na myśl o tym osieroconym chłopcu. Moje serce pęka na myśl o Mahasen, jej jedyny syn. Tak było od dnia, kiedy Sammar przywiozła Tariqa z Aberdeen, ona była tą, która dźwigała klęskę, jej życie rozdarte, zmienione nie do poznania, pozbawione celu, pozbawione środka, podczas gdy Mahasen i Hanan wróciły do swoich spraw, jak przedtem, a Amir nie mógł tęsknić za ojcem, którego nie pamiętał.

Ciotka w salonie obudziła się, ale niemowlę wciąż spało na łóżku pomiędzy ścianą a plecami Mahasen. Pomimo smutku, który postarzył jej twarz, ciotka wciąż miała w sobie elegancję, swego rodzaju wytworność w sposobie, w jaki siedziała i mówiła. Oglądała z dziećmi film wideo. Na ekranie kot uganiał się za myszą, wiecznie sfrustrowany, wiecznie niespełniony. Sammar przywitała się z ciotką i usiadła na jednym ze stołków, żeby uczesać Dalię. Jeśli nie rozczesze i nie zaplecie włosów teraz, kiedy są mokre, skręcą się i nie da się ich rozplątać. Grzebień o dużych zębach ślizgał jej się w ręku.

– Au! – pisnęła Dalia, zapatrzona w ekran.

– Przepraszam, ślicznotko. Zaraz kończę. Chcesz dwa warkoczyki czy jeden?

– Dwa.

– Dwa bardziej jej pasują – powiedziała Mahasen. – Spleć je ciaśniej, ostatnim razem zrobiłaś za luźne i długo nie przetrwały.

Sammar kiwnęła głową, rozdzieliła włosy Dalii pośrodku i zaczęła je zaplatać. Czuła, że ciotka ją obserwuje. Gdyby się teraz odwróciła i popatrzyła na ciotkę, zobaczyłaby wyraz jej oczu. Coś na kształt rozczarowania albo dezaprobaty, swego rodzaju pogardę. Wielokrotnie, patrząc ciotce w oczy, znajdowała w nich pogardę tam, gdzie kiedyś była akceptacja i miłość. „Kocham twoją matkę bardziej niż ciebie", droczyła się z Tariqiem lata temu. W innych czasach, przed bruzdami rezygnacji na twarzy Mahasen, jej zgaszonymi oczami.

Sammar skupiła się na włosach Dalii i nie podnosiła wzroku na ciotkę. Chociaż pracował klimatyzator, wciąż było jej gorąco. Podniosła rękę i rękawem bluzki otarła pot z czoła.

– Dlaczego jesteś dzisiaj taka niechlujna? – Głos ciotki inny, odcinający się od trajkotu i muzyki kreskówki.

– Byłam z dziećmi w ogrodzie. Bawiły się w basenie. Przyszła Nahla.

Grzeczność wymagała, żeby podniosła wzrok, lecz tego nie zrobiła.

– *Insha' Allah*, nie urządzą przyjęcia weselnego w domu. Głośna muzyka i tłok na całej ulicy.

– Nie, powiedziała mi, że rezerwują Klub Syryjski. – Chciała dodać, że Nahla miała nadzieję na obecność Mahasen, ale zrezygnowała.

– Nie mam ochoty na wesela ani przyjęcia – powiedziała ciotka, jakby czytała jej w myślach. – Od dnia, kiedy pochowali zmarłego, nie mam ochoty na takie rzeczy. Hanan idzie niechętnie, ale to jej obowiązek. Tego się od niej oczekuje.

– Tak – potwierdziła Sammar. Nie lubiła, gdy ciotka mówiła „zmarłego", nie nazywając Tariqa po imieniu. Brzmiało to, jakby był stary, podczas gdy w rzeczywistości był młody, wiecznie młody. Nie wierzyła też, że Hanan chodzi na przyjęcia „niechętnie". Ale zachowała milczenie, zaplotła włosy Dalii i nie sprzeciwiła się ciotce, nie podniosła wzroku. Z daleka dobiegał azan o zachodzie słońca, przebijając się przez szum klimatyzatora i muzykę z kreskówki. Brakowało jej tego w Aberdeen, odczuwała brak, czasem wyobrażała sobie, że słyszy azan w bulgocie rur centralnego ogrzewania, w dźwiękach dochodzących z sąsiedniego mieszkania. Teraz niósł ulgę, przypomnienie, że jest coś większego niż cała reszta, ponad wszystkim. *Allah akbar. Allah akbar...*

Poszła dokonać *wudu*, ale najpierw musiała posprzątać łazienkę, ponieważ dzieci pozalewały ściany wodą i zostawiły na podłodze ręczniki i mokre ubranie. W sypialni włączyła wiatrak na suficie i wzięła dywanik modlitewny, który leżał zwinięty na łóżku Mahasen. Ubrania i rzeczy Sammar były w innym pokoju, w którym stały zamykane na klucz szafki i skrzynki z mirandą, worki cukru i ryżu, ale ona spała w tym pokoju z ciotką i Amirem. Elektryczność była zbyt droga, żeby uruchamiać na całą noc więcej niż jeden klimatyzator, dlatego musieli dzielić pokój, dzielić się klimatyzatorem. Czasem w nocy wyłączano prąd i nagłe milczenie wiatraka budziło Sammar. Wyłączała go, ponieważ zdarzało się, że napięcie było tak duże i mogło zepsuć silnik. Czasem znów zasypiała w utrzymującym się chłodzie pokoju, ale kilka minut później budziło ją gorąco. Otwierała wszystkie okna, ale bywało, że do dusznego pomieszczenia nie wpadał nawet najsłabszy podmuch wiatru. Amir przewracał się i zrzucał z siebie kołdrę, ciotka siadała i opierała się o ścianę, przeklinając rząd, dostawcę elektryczności, życie. A Sammar wstawała i wychodziła na dwór, chodziła w tę i z powrotem po oświetlonym gwiazdami ganku, chwiejąc się z niewyspania, zdumiona rozgwieżdżonym niebem. W przeszłości wszyscy spali na zewnątrz, na dachu, na otwartej przestrzeni, nawet w najbardziej upalne noce. Ale Hanan zbudowała na dachu mieszkanie. „Nikt nie śpi już na zewnątrz, Sammar" - powiedziała. Z powodu komarów, lęgnących się w otwartych ściekach, oraz przez wyziewy diesla, unoszące się podczas przerw w dostawie prądu z oświetlonych domów, które było stać na generatory.

Pomodliła się i wyszła do ogrodu. Był inny bez dzieci, a ona teraz nie potrzebowała ciemnych okularów. Mogła patrzeć na wszystkie kolory, których brakowało jej w Aberdeen: żółty i brązowy, oraz wszystkie inne, takie nasycone. Płaski teren i spokojna pustka, przestrzeń, brak szarości, brak wiatru, brak rzędów granitu. Słońce nadało otoczkę domom stojącym przy ulicy, pozostawiając warstwy różu i pomarańczu. Na wschodzie malował się zdecydowany błękit nocy, cienki księżyc, jedna, dwie, teraz trzy gwiazdy. Ptaki wciąż buszowały w gałęziach, popiskując, szeleszcząc liśćmi, głośniejsze niż dzieci. Po przeciwnej stronie ulicy nocny stróż spółdzielni częstował przyjaciół herbatą. Siedzieli na chodniku, na dużej macie z włókien palmowych; różańce i śmiech. Rozżarzony węgiel, woda zagotowała się w czajniku i w półmroku unosiła się para. Jej tęsknota za domem została uleczona, oczy ochłodzone tym, co zobaczyła, kolorami i niebem, o wiele większym niż świat pod nim, przezroczystym. Usłyszała dźwięk dzwonka, kiedy pojedyncze słabiutkie światło lampki rowerowej, drgając, przejechało wyboistą ulicą. Kot zamiauczał jak niemowlę i wszystko bez wiatru miało zapach: piasek i krzewy jaśminu, poszarpane liście eukaliptusa.

17

Jej brat Waleed mieszkał z żoną w mieszkaniu na drugim piętrze, w jednym z nowszych bloków. Niedawno się pobrali i pracowali w tym samym biurze architektonicznym. Sammar zaparkowała samochód Hanan pod przyćmionym żółtym blaskiem ulicznej latarni. Lekcje jazdy, które wzięła w Aberdeen, jednak się przydały, chociaż początkowo przestawienie się na ruch prawostronny było trudne. Amir i Dalia otworzyli drzwi samochodu i wyskoczyli.

– Gdybyśmy byli w Szkocji – powiedziała im, kiedy przechodzili przez ulicę – musielibyście siedzieć na tylnym siedzeniu przypięci pasami.

Jej słowa nie miały dla nich sensu. Nigdy nie widziały nikogo przypiętego pasem. Nie potrafiły sobie wyobrazić odległego miejsca o nazwie Szkocja.

Ulica, którą przecięli, była pełna dziur, pokryta śmieciami z nowych budynków. Wszędzie leżały cegły i kawałki cementu, zabawki dzieci żyjących na ulicy. Obok budynku była mała stołówka i część dzieci tłoczyła się przy wejściu w porwanych, poplamionych ubraniach, a ich bose stopy aż do kostek pokrywał kurz. Domagały się lizaków i gumy, śmiały się i szturchały, połyskując białymi zębami w słabym świetle ulicy. I chociaż Sammar przyjechała z deszczu i bogatego miasta Pierwszego Świata, mizerność tego miejsca była jej znajoma. Nędza, jakby słońce wypaliło bujność życia, nie zostawiając miejsca na luksusy czy kłamstwa.

Gdy tylko Waleed otworzył im drzwi, odcięto prąd. W nagłych ciemnościach nastąpiło spore zamieszanie, podczas którego Amir podskakiwał wyjątkowo podekscytowany, śmiejąc się i dokuczając Dalii, ponieważ się bała. Wszyscy szukali po omacku świec i latarki, starali się uspokoić Dalię, żartowali, że to Sammar odcięła prąd, przynosząc ze sobą ciemność.

Waleed przeprowadził ich przez mieszkanie i usiedli na balkonie. To ucieszyło dzieci, które zaczęły dokuczać gołębiom śpiącym w dużej skrzyni obciągniętej siatką. Wkładały palce przez dziury w siatce, próbując dosięgnąć ptaków. Wszystkie sąsiednie domy i ulice tonęły w ciemności, co stanowiło sygnał, że to poważniejsza awaria. Jedynie w oddali błyszczały światła lotniska, żółte i czerwone. W stołówce poniżej ktoś zapalił lampę sztormową i krzykowi z ulicy odpowiedział śmiech. Księżyc i gwiazdy dawały dość światła, żeby Sammar mogła wyraźnie zobaczyć brata. Galabiję, którą miał na sobie, dużą szparę między zębami, kiedy się uśmiechał. Powiedział, że jego żona poszła na lekcję niemieckiego.

– Dlaczego uczy się niemieckiego? – zapytała Sammar, skupiona na gwiazdach, na tym, że są niezliczone, niektóre dalsze od innych. Jak to możliwe, że to jest to samo niebo co w Aberdeen?

– Myślisz, że ja wiem? Chce się nauczyć niemieckiego. Co mam jej powiedzieć? „Nie ucz się niemieckiego?".

– Myślałam, że uczy się informatyki.

Każdy może patrzeć na to niebo bez opłaty za wstęp, bez pieniędzy. W Szkocji były sklepy ze wszystkim, sprzedające wszystko, ale takiego nieba nikt by nie kupił.

– Tak było, ale nie wystarczyło komputerów dla wszystkich i nie miała zbyt wielu okazji, żeby z nich korzystać. Dostała notatki i może pracować na tym, który mamy w domu...

– Szczerze mówiąc, chciałam skorzystać dzisiaj z komputera – powiedziała Sammar. – Muszę napisać list, a właściwie dwa. Ale teraz nie ma prądu. – Odwróciła się do Amira i Dalii. – Wy dwoje, przestańcie, zostawcie ptaki w spokoju.

Amir uderzał w siatkę. Jeden gołąb się poruszył, ale nie obudził.

– *Insha' Allah* włączą. Wczoraj o tej samej porze też nie było i włączyli po piętnastu minutach.

– Dobrze by było.

Zastanawiała się, dlaczego nie przejmuje się specjalnie brakiem prądu, dlaczego nie irytuje jej ta niedogodność. Zwykle lubiła załatwiać sprawy, kiedy już podjęła decyzję. Być może powodem było niebo i wiatr, wilgotny i czysty.

Albo wszechobecne uczucie poddania. Gwiazdy wyśmiały światła ziemi i zwyciężyły.

– Co robiłeś, zanim przyszliśmy? – zapytała.

– Oglądałem film na wideo. – Waleed podrapał się po głowie i ziewnął.

– Pamiętasz? Kiedyś często chodziliśmy do kina.

– Teraz nikt nie chodzi do kina.

Mówiąc „nikt", miał na myśli krąg swoich przyjaciół i rodzinę.

– Szkoda.

– Wszystko się zmienia. Chcesz wyjechać, wrócić i zastać wszystko takim, jakim było?

Wzruszyła ramionami w ciemności. Wydawało jej się, że w jego głosie pobrzmiewa surowość. Wiedziała jednak, że nie jest to celowe. To ona stała się przewrażliwiona. To ona zbyt długo była nieobecna.

– Chcę się stąd wyrwać – powiedział nagle. – Mam dość. Naprawdę mam dość.

– Czego? – spytała lekko, jakby chciała osłabić jego niezadowolenie.

– Braku postępu. Nic nie idzie do przodu.

– Dokąd chcesz pojechać?

– Nad Zatokę Perską albo do Arabii Saudyjskiej. Raczej nad Zatokę.

– Jedź.

Roześmiał się.

– Nie bądź głupia. Każdy chce tam pojechać, zarobić trochę pieniędzy, to nie takie proste. – Był szczerze rozbawiony, kręcił głową, patrzył jej w oczy. – Nie masz pojęcia, prawda? Jesteś ślepa.

Zaczęła się śmiać razem z nim i spojrzała w gwiazdy.

– Jestem ślepa.

Dalia podeszła do niej, nachyliła się i wyszeptała jej do ucha:

– Chce mi się siku.

W łazience było gorąco i duszno. W lustrze nad umywalką Sammar zobaczyła swoją twarz w świetle świecy. Jak dużo czasu upłynie, zanim zacznie wyglądać tak jak powinna, zasuszona wdowa, wyblakła postać w tle?

– Skończyłam – oznajmiła Dalia. Sammar musiała trzykrotnie pociągnąć za spłuczkę, zanim wreszcie popłynęła woda. Na zaniepokojonej twarzy Dalii pojawił się uśmiech, a Sammar zauważyła, że spłuczka nie napełniła się ponownie wodą.

– Pewnie kiedy odcinają prąd, pompa, która doprowadza wodę na to piętro, przestaje działać. Sprawdźmy w kranie.

Dalia odkręciła kurek. Głośno kapnęło kilka kropel, a potem nic.

– Mają wiadro... – mruknęła Sammar. W wannie stało wiadro pełne wody i metalowy dzbanek. Napełniła go wodą i Dalia umyła ręce w umywalce, niezdarnie obracając w dłoniach dużą kostkę białego mydła.

Wróciły na chłodny balkon, ostrożnie pokonując drogę w ciemnościach, Sammar niosła świecę. Podczas ich nieobecności Waleed przyniósł tacę z butelkami pepsi i szklankami z lodem, talerzykami z orzeszkami i daktylami.

Amir i Dalia uspokoili się, pijąc, ucichli, jedząc orzeszki. Sammar potrząsnęła lodem w szklance. To była jedna z rzeczy, których brakowało jej w Aberdeen: kostek lodu w napojach, uczucia chłodu podczas upału.

– No i co powiesz o naszym kraju? – Waleed założył ręce za głowę. Miał na myśli brak prądu.

– Piękny.

Roześmiał się. Jego śmiech był głośny i zaraźliwy.

– W końcu straciłaś rozum – stwierdził.

Uśmiechnęła się i odpowiedziała wolno:

– Przysięgam na Wszechmocnego Allaha, że jest tu piękniej niż gdziekolwiek indziej.

Jej serce promieniało, ponieważ wspomniała Allaha i dlatego, że mówiła prawdę.

– Daję ci jeszcze ze dwa tygodnie, zanim zabierzesz Amira i stąd uciekniesz.

Wzruszyła ramionami.

– Nie będę miała pracy, do której mogłabym wrócić. Przyszłam tu dzisiaj, żeby napisać i wysłać rezygnację.

– Dlaczego chcesz to zrobić? – Był to niemal krzyk. Pochylił się w jej stronę, skupiony, już nieroześmiany. – Nie wolno ci tego zrobić. Myślisz, że praca leży na ulicy, czekając, aż ludzie ją podniosą? Myślisz, że tutaj znajdziesz pracę?

– Po prostu będę musiała spróbować, *Insha' Allah* coś znajdę.

Strząsnęła kilka łupinek orzeszków ziemnych, które spadły jej na kolana, żałując, że mu powiedziała. Gdyby jego żona była w domu, zachowywałby się bardziej powściągliwie, nie byłby taki podminowany. Teraz nie przestawał mówić.

– Myślisz, że jaką pracę znajdziesz?

– Może w programie walki z analfabetyzmem...

– Będziesz zarabiała grosze, za które się nie utrzymasz, i tylko będziesz żałowała. Poza tym nigdy nie uczyłaś...

– Rozpaczliwie potrzebują ludzi, nie będą wybrzydzali...

– Tak, nie będą wybrzydzali, ale dlaczego, skoro już masz bardzo dobrą pracę w Aberdeen, dlaczego rezygnujesz z takiej okazji?

– Miałam wrócić do pracy w zeszłym tygodniu. Pewnie się zastanawiają, co się ze mną stało.

– To nie powód, żeby rezygnować.

Zajrzała do swojej szklanki, rozpuszczony lód, ciemnozłota pepsi.

– Życie tam nie było wielkim sukcesem – wyznała.

– Jak mogło nie być sukcesem? Masz takie szczęście. Dobra praca, cywilizowane miejsce. Żadnych przerw w dostawie prądu, strajków czy tym podobnych... Co z tobą?

– Nie wiem.

– Tak po prostu?

– Tak po prostu. – W jej głosie pobrzmiewało poczucie winy, swego rodzaju upór. Dostrzegała ironię losu. Miała szansę na życie za granicą, a chciała zostać, on zaś pragnął wyjechać i nie mógł.

– Życie na emigracji nie jest zbyt przyjemne – dodała jakby tytułem tłumaczenia.

– Gdybyś wzięła ze sobą Amira, nie byłabyś taka samotna i byłoby to z korzyścią dla niego. Nie wiesz, co stało się z tutejszymi szkołami.

– Nie dam sobie z nim rady sama. – Żałowała, że nie potrafi wyjaśnić, jak opuszczona czułaby się sama z Amirem w Aberdeen. Długie zimowe wieczory, mały pokój, w którym by mieszkali, tylko oni, ich dwoje, twarzą w twarz, klaustrofobicznie.

– Brednie. Tutaj zajmujesz się Amirem i dziećmi Hanan. Czy ciotka Mahasen nie zwolniła pokojówki, gdy tylko wróciłaś?

Sammar się roześmiała, z ulgą przyjmując zmianę tematu. Waleed uśmiechnął się niechętnie.

– Nikt nikogo nie zwolnił. Kobieta odeszła, zniknęła tydzień po moim powrocie. A ciotce Mahasen nie udało się znaleźć nikogo innego.

– Czyżby? – prychnął. – Ciotka Mahasen do spółki z Hanan nie mogły nikogo znaleźć?

– Nie mam nic przeciwko temu, naprawdę – zapewniła.

Prace domowe i dzieci Hanan absorbowały ją, wyczerpywały na tyle, że nocą nie miała czasu śnić.

– Jak cię traktuje? – Teraz w jego głosie słychać było czujność, wahanie. Gdyby jego żona była w domu, nie zapytałby o to.

– Dobrze.

– Wiesz, że wyrzuciła 'Am Ahmeda z domu?

Sammar pokręciła głową i zagryzła wargę. To wszystko jej wina. Nie zasłużył sobie na to. Zastanawiała się, ile osób zna całą historię, niemal skandal. Starszy religijny mężczyzna, dwukrotnie żonaty, kierujący uwagę na młodą wdowę, której mąż jeszcze rok nie leżał w grobie. A głupia dziewczyna nie odesłała go z kwitkiem. Powiedziała, że się zastanowi. Taka wykształcona dziewczyna jak ona!

– Jak to było? – Mówiła cicho z oporem, jakby do końca nie chciała wiedzieć.

Waleed poprawił się na krześle.

– Przyszedł z wizytą. Byłem tam. To było święto Eid, jakiś czas po tym, jak wyjechałaś. Siedzieliśmy sobie wszyscy, jak zwykle, a wtedy Mahasen odwróciła się do niego i krzyknęła: „Nigdy więcej nie postawisz nogi w moim domu, żona Tariqa nigdy nie będzie twoja...". I tak dalej.

– O mój Boże.

– Tak, to było nieprzyjemne. Potem poszliśmy z Hanan go przeprosić. Zatrzymał się u swojego brata w Saifie.

– Hanan nigdy mi o tym nie powiedziała.

– Nie było potrzeby. Cała sprawa jest zakończona. Myślę, że teraz nie przyjeżdża tak często do Chartumu. Biznes nie idzie już tak dobrze jak kiedyś. Straciłem z nim kontakt. Był dla nas uprzejmy, kiedy poszliśmy go przeprosić, ale sprawy nie wyglądają już tak jak przedtem.

– To dobry człowiek – powiedziała. Był wieloletnim przyjacielem rodziny. Kiedy miała kilka lat, podnosił ją i sadzał na masce swojej furgonetki, dawał słodycze. Nigdy się go nie bała.

– Jednak przekroczył pewne granice. – W głosie Waleeda słychać było pogardę. Nie odpowiedziała, a on ciągnął: - Chcę wiedzieć, jak ciotka Mahasen cię traktuje. Czy czujesz się przy niej komfortowo? Szczególnie że upierasz się, żeby nie wracać do Aberdeen.

- Nigdy nie mówi o tym, co się stało. A jeśli chodzi o mieszkanie z nią, to dom po części należy do mnie i Amira. Mamy prawo tam być. - Kiedyś dom należał do Mahasen, Hanan i Tariqa. Po jego śmierci udział Mahasen stał się większy, Hanan został taki sam, część odziedziczyła Sammar, ale największa przypadła Amirowi. Największa w porównaniu z innymi, ale obejmująca mniej niż połowę domu. Nikt z nich nie miał gotówki, żeby spłacić pozostałych. Gdyby sprzedali dom i podzielili się pieniędzmi, nikomu z nich nie starczyłoby na kupienie przyzwoitego domu gdzie indziej.

- Nie jest raczej w zwyczaju, żeby wdowa mieszkała z teściami - zauważył Waleed. - To jakbyś dawała wszystkim sygnał, że nie chcesz znowu wyjść za mąż.

- To nie ma znaczenia... nie dbam o to, jaki sygnał ludzie odbiorą.

Wydawał się smutny i nagle, kiedy się odezwał, jego głos stał się delikatniejszy, dziecinny, głos jej młodszego braciszka sprzed lat.

- Przykro mi, Sammar. Przykro mi, że jestem jedyną rodziną, jaka ci została, i nie mogę wziąć was z Amirem do siebie...

Myśl o tym, że mieszkałaby z Amirem u Waleeda, z jego żoną, w ich nowym mieszkaniu, była na tyle niedorzeczna, że miała ochotę się roześmiać. Jednak opanowała się i cisza częściowo zaraziła ją zmienionym nastrojem Waleeda. Jego słowa „jedyna rodzina, jaka ci została", i świadomość, że rodzice zmarli tak dawno, tęsknota za nimi i za tym, co mogli dać.

– Siedzę tu – odezwała się wreszcie, drocząc się z nim – i myślę, że chcesz się mnie pozbyć i wysłać mnie z powrotem do Aberdeen. A ty chcesz mnie i Amira u siebie, żeby twoja żona się wściekła i wróciła do domu swojego ojca.

Skrzywił się i znów był sobą.

– Oczywiście, że musisz wrócić do Aberdeen, do swojej pracy...

Zmierzwiła mu włosy i uściskała. Jarzeniówka nad ich głowami zabrzęczała, rozjarzyła się, a potem zapaliła. Część latarni zaczęła mrugać.

– Hurra! – krzyknęły dzieci i pobiegły do światła salonu.

Komputer stał na stole w jadalni przykryty plastikowym pokrowcem. Drukarka, też przykryta, stała na kredensie obok. Sammar odsunęła krzesło stojące na wprost monitora i usiadła. Kiedy włączyli prąd, zaczął się hałas: głośny telewizor, warkot klimatyzatora, z łazienki dobiegał dźwięk napełniającej się spłuczki.

– Jak się włącza ten komputer? – zapytała Waleeda, który tłumaczył dzieciom, że nie ma żadnych kreskówek na wideo.

– Myślałem, że zdecydowaliśmy, iż nie zamierzasz zrezygnować. – Stanął nad nią i zmarszczył czoło...

– Nie.

– Jesteś naprawdę uparta i nie posłuchasz mojej rady, prawda?

Kiedy pokręciła głową, wzruszył ramionami i zaczął rozpakowywać swój cenny komputer, zdejmując warstwy plastiku chroniące go przed kurzem. W Chartumie wszystko było cenne, nawet tusz i papier, ponieważ pochodziły z importu i bardzo trudno było je zdobyć.

Napisanie listu było łatwe, napisała go odręcznie w domu, a teraz musiała tylko przepisać i wydrukować. Potrzebne jej były dwie kopie, jedna zaadresowana do działu personalnego, a druga do szefa wydziału. Tak wyglądała standardowa procedura rezygnacji. Jako powód, dla którego nie mogła wyjechać z Chartumu i wrócić do Aberdeen, podała „obowiązki rodzinne".

Kiedy pisała, Waleed kręcił się w pobliżu.

– Ja wszystko wydrukuję – powiedział, kiedy skończyła, i wygonił ją z krzesła.

Listy wysunęły się z drukarki płynnie, jeden po drugim.

– Isles – przeczytał Waleed, biorąc do ręki drugi list. – Profesor R. Isles, nietypowe nazwisko.

– Tak, jest szefem wydziału. – Przez miesiące, tygodnie, nie wymówiła jego nazwiska nawet raz. Ani razu go nie słyszała, ani razu go nie wypowiedziała, nawet szeptem, sama do siebie. Teraz powiedziała do Waleeda przesadnie radosnym głosem: – Zgadnij, co znaczy R.

– Richard?

– Nie.

– Ronald Reagan.

– Nie wygłupiaj się.

– Poddaję się – powiedział, wycierając monitor ściereczką, którą wyjął z plastikowego woreczka. – Nie umieram z ciekawości.

– Rae – wymamrotała, niepoprawnie wymawiając to imię. Wytarła dłoń o spódnicę.

– Rye, *rai*? – powtórzył Waleed, przykrywając komputer.

Uśmiechnęła się. *Rai* po arabsku znaczy „opinia".

– Tak – powiedziała, patrząc w dal. – Wygłaszał dużo opinii.

18

Wysłała listy i wmówiła sobie, że nie czeka, nie oczekuje niczego poza przyjęciem jej rezygnacji do wiadomości, formalnej odpowiedzi na jej *Drogi profesorze Isles*... czegoś, co napiszą dla niego jego sekretarki, umieszczając kopię w szafce z dokumentami z nalepką „Administracja".

W Chartumie ulicami nie chodzili listonosze, nie dostarczano listów do domów. Ciotka wynajmowała skrytkę pocztową, do której miała klucz otwierający ze zgrzytem małe metalowe drzwiczki. Do środka trafiała korespondencja rodziny, teraz leżała tam warstwa kurzu. Sammar przekręciła kluczyk, otworzyła skrzynkę i niczego w niej nie znalazła.

W Egipcie, gdzie dzień po dniu tłumaczyła rozmowy w Kairze, w Aleksandrii i na południu, czekała na wiadomość od niego, kilka słów. Wiedział, gdzie ona jest, wiedział, jak się z nią skontaktować. Zależało jej, żeby powiedział: nie miałem tego na myśli, kiedy kazałem ci mnie zostawić, nie miałem tego na myśli. Tego chciała podczas tamtych nerwowych dni. Różne hotele, wszyscy, z którymi pracowała, doceniali to miejsce, zachwycali się Egiptem, jeździli zwiedzać wszelkie atrakcje turystyczne, a ona, chora w środku, niepewna niczego oprócz tego, że musi pracować, ciężko pracować, nie czuć, nie płakać. Trzy tygodnie pocieszania samej siebie: jutro się ze mną skontaktuje, wie, gdzie jestem, jutro. Pracowała, jadła, zatrzymała się w tym samym hotelu, co ludzie, którzy przybyli z tego samego świata, co on, pracowali w tej samej branży. Jego rywale, którzy pisali do tych samych czasopism, do których pisywał, jeździli na te same konferencje, ale w jej oczach różnili się od niego, w porównaniu z nim byli nijacy i weseli. Mógł tu być, jeden z nich, część programu. „Wybrali kogoś innego - powiedział jej w ogrodach zimowych. - Kogoś z poglądami łatwiejszymi do przyjęcia". Nie rozumiała, co miał na myśli, mówiąc o poglądach łatwiejszych do przyjęcia.

Skontaktuje się ze mną, nie zostawi mnie tak, myślała w Aleksandrii i w południowej prowincji Souhaig, ale się myliła. Miała nadzieję i ciężko pracowała, tłumacząc arabski na angielski, angielski na arabski, siedząc do późna w hotelowych zapachach, przepisując rozmowy na komputerze. Wyglądała na równie zmęczoną, jak młodzi mężczyźni, którym codziennie zadawała pytania, chudzi i pozbawieni złudzeń, ściskający papierosy w palcach, pełni brawury i marzeń. Zadawała im pytania sformułowane przez innych, potem przekładała ich odpowiedzi na angielski... „Pracowałem jako pomocnik u fryzjera, typowe zajęcia, zamiatanie włosów z podłogi, pranie ręczników...", „Mój brat siedział w więzieniu, a kiedy wyszedł...", „Mój ojciec pracował w Bagdadzie i stracił pracę, kiedy wybuchła wojna...", „Mieszkamy w dziesięcioro w jednym pokoju...". Kiedy się odzywali, zwracali się do niej. Tylko jeden z nich patrzył jej prosto w oczy, drażniąc się z nią, inny od pozostałych.

– Byłem w Ameryce – powiedział. – Massachussetts. Byłem tam, więc wiem, o czym mówię. Mężczyźni z Zachodu czczą pieniądze i kobiety. Niektórzy z nich patrzą na świat poprzez banknoty dolarowe, a inni przez uda kobiety.

Mówił tak, ale ona pozostała obojętna, obojętna na wszystko, milcząca, kiedy pozostali później, przy lunchu, nie potrafili mówić o niczym innym. Uśmiechała się głupio, gdy ktoś jej powiedział:

– Przykro mi, że musiała pani przez to przejść. To było bardzo nieprzyjemne.

Pozostała obojętna, aż dotarła do Chartumu, weszła do domu ciotki i zobaczyła na ścianie zdjęcie Tariqa.

Przekręciła kluczyk w zamku skrytki pocztowej i znalazła odpowiedź działu personalnego. Jest winna uniwersytetowi miesięczną pensję, ponieważ nie dostarczyła zawiadomienia. Przekręciła kluczyk w zamku i nie znalazła niczego, nawet oficjalnej odpowiedzi, której się od niego spodziewała. Przekręciła kluczyk w zamku i znalazła list od Yasmin. Urodziła córeczkę i była na urlopie macierzyńskim, już nie chodziła do pracy. W liście nie wspominała o Rae. Była w nim ekscytacja z powodu dziecka i: *Postępujesz właściwie, Sammar, zostając z rodziną, nie wracając... my też chcielibyśmy wyjechać z Wielkiej Brytanii....*

Przekręciła kluczyk w zamku i niczego nie znalazła. Przekręciła kluczyk w zamku skrzynki pocztowej i wiedziała, że niczego nie znajdzie. Oddała klucz Hanan ze słowami:

– Nie spodziewam się więcej korespondencji.

Nawet gdyby napisał to, co chciała, żeby napisał: *Nie miałem tego na myśli, kiedy powiedziałem, żebyś mnie zostawiła*, co by to dało? Nie mają wspólnej przyszłości, to by nie wystarczyło.

Jej przyszłość jest tutaj, gdzie przynależy. Przynależy do syna i nieznajomych, którzy uśmiechają się, kiedy wchodzi do pomieszczenia. Nie powinna się łudzić, a z czasem zapomni. Słońce i kurz wyżrą jej uczucia do niego. Musi wyrwać jego słowa z głowy jak chwasty i je wyrzucić.

Tutaj. Jej życie jest tutaj.

Początek nowej pracy, przyzwyczajanie się do uczenia, dopasowywanie twarzy do imion. Odbieranie Amira i Dalii ze szkoły. Prace domowe, wieczorem życie towarzyskie, wszyscy w domu przed godziną policyjną o dwudziestej trzeciej. Goście lub odwiedzanie innych z kondolencjami, kiedy przychodziła śmierć, lub gratulacjami, kiedy rodziło się dziecko. Przywitanie osoby wracającej z zagranicy, pożegnanie osoby, która wyjeżdża. I ludzie przykuci do łóżek, mówiący słabym głosem, zapach choroby w pokoju.

Tutaj. Jej życie jest tutaj.

Życiem są burze piaskowe, które różowym brązem nadlatują z nieba, pośpiech, żeby pozamykać okna i drzwi, wiatr gwiżdżący między krzewami i drzewami. Krótkie dzikie burze, a potem piasek pokrywający wszystko grubą warstwą, wiry miękkiego piasku na posadzce, które trzeba zmieść i wysypać. Wytrzepać z zasłon, poduszek, jaśków, z powierzchni wszystkiego, co nieruchome. Piasek wiecznie w wyżłobieniach przedmiotów, w zagłębieniach skóry, pomiędzy kartkami książek dla dzieci. Życiem jest też deszcz, który przychodzi o świcie z niosącymi ulgę grubymi kroplami na kurzu, słońce pokonane na jeden dzień. Tylko jeden dzień, ulga, obrazek z przeszłości, pusty plac pokryty srebrem, wyłożony barwą księżyca. Ktoś, z kim można porozmawiać...

Pamiętasz, Hanan, jak któregoś dnia szłyśmy w szkolnych mundurkach po mleko do sklepu? Z powodu deszczu nie było lekcji. Poszłyśmy rano, okazało się, że sklep jest zamknięty, więc wróciłyśmy. Ale przez cały dzień nie zdjęłyśmy mundurków.

Pamiętasz, Sammar, jak Tariq celowo jeździł rowerem po kałużach, po każdej kałuży stąd aż do Airport Road?

Hanan, pamiętasz dzień, w którym poszliśmy do kina Blue Nile i zaczęło nam padać na głowy, a Tariq po prostu siedział, patrząc na ekran?

Pamiętasz dzień, pamiętasz czas... Pamiętasz Tariqa? Hassan wyglądał tak jak on, jak wuj, który nigdy go nie widział. Tylko Hassan, Hussein nie, nie byli identycznymi bliźniętami. Nawet Amir nie przypomina swojego ojca tak bardzo jak Hassan. Czy to nie dziwne? Powiedziała o tym Hanan, kiedy razem składały pranie, tyle prania, góry czystych ubrań do posortowania i ułożenia w schludne kupki.

Tydzień po tygodniu. Głaskanie włosów Hassana, podlewanie ogrodu, usuwanie pestek z plastrów arbuza. Obserwowanie, jak rośnie niemowlę Hanan, pierwszy dzień, kiedy jadł fasolę, pierwszy dzień, kiedy spróbował mango, i jak potem wyglądała jego pielucha. Dzwonek do drzwi i wybieganie z domu po schodach na ganek, żeby odciągnąć czarną metalową bramę. Miranda dla gości, kostki lodu, miseczka ze słodyczami, poczęstunek dla wszystkich. „Wody - prosili niektórzy. - Przynieś mi tylko szklankę wody, Sammar, i nic więcej". Znów zakochała się w Amirze. Nosiła go po domu, jak Hanan nosiła swoje niemowlę. Bawili się, udając, że Amir znów jest niemowlęciem i że musi go nosić. Tylko podczas tej zabawy był słodki i się przytulał. Poza tym był wyniosły, niezależny, nieustraszony. Nie pamiętał ojca i nie tęsknił za nim. Całkiem dobrze żyło mu się bez matki. W jej synu było coś nieprzyjaznego: siła, wewnętrzny świat, o którym nic nie wiedziała, wykluczona przez poczucie winy i lata nieobecności. Tylko bawiąc się w niemowlę i matkę, byli blisko. Noszenie go po domu, nie zwracała uwagi, że jest ciężki. Wiesz, maleńki, że urodziłeś się w zimnym kraju i nosiłeś ubrania z białej włóczki? Maleńki, chcesz wyjść do ogrodu? Zobacz, to jest drzewo, to jest trawa. Co to jest? Udawanym głosem niemowlaka, pokazując ręką. Co to jest? To samolot. Zabiera ludzi daleko, daleko stąd.

Nowa praca. Różni ludzie, lekcje w różnych miejscach. Niektóre zajęcia programu walki z analfabetyzmem odbywały się wieczorem na uniwersytecie. Palmy i nędzny, walący się kampus, studenci studiów licencjackich ubrani gorzej i niewyglądający tak zdrowo jak ci, których widywała w Aberdeen. Jak podczas wszystkich wieczornych zajęć, również podczas jej lekcji o zachodzie słońca była przerwa na modlitwę. Wychodzili z sali, w której wiatrak na suficie zwiewał kartki z ławek, na dwór, na upał. Nie wiedziała, kto rozkłada na trawie maty z włókien palmowych. Zawsze tam leżały, kiedy wychodzili. Beżowe i lekko drapiące w czoło i dłonie. Stojąc, ocierała się ramionami o ramiona kobiet, równe rzędy, potem wspólny pokłon, ale nie dokładnie w tej samej chwili, nie sprawnie, nie synchronicznie, lecz falami, z szelestem ubrań, aż opierali czoła o maty. Pod niebem, na trawie, wrażenie było inne niż modlitwa wewnątrz, inny blask. Pamiętа, jak musiała się chować w Aberdeen. Pamięta, jak chciała, żeby on modlił się tak, jak ona się modliła, miała nadzieję, że tak będzie. Pamięć kazała jej powiedzieć: „Panie, trzymaj smutek z daleka ode mnie".

Pracowała, żeby w ciągu dnia nie mieć przerw na rozpamiętywanie. Starała się być na tyle zmęczona, żeby w nocy nie mieć snów. Sadzanie bliźniaków na nocnik, oglądanie ze wszystkimi filmów na wideo: ekscytujące amerykańskie filmy, głośne egipskie opery mydlane. Zabieranie ciotki do lekarza, słuchanie jej w drodze powrotnej.

– Mój syn byłby tak wspaniałym lekarzem jak on...

Wysłuchiwanie godzinami Nahli, Nahli rozzłoszczonej, ponieważ jej ślub musi zostać odłożony na bliżej nieokreślony termin, przyczyny – katalog problemów – praca jej narzeczonego, brak pracy jej narzeczonego, jego sfrustrowane pragnienie zdobycia pracy za granicą, fakt, że nie mają gdzie mieszkać, fakt, że jego ojciec jest nadziany, ale zbyt podły, żeby pomóc.

Rzadko była sama. Prawie nigdy. W nocy jej ciotka kręciła się, wstawała, nalewała sobie wody z termosu, który trzymała pod łóżkiem. Amir mamrotał przez sen, skopywał kołdrę, śnił dziecinne sny. Wczesnym rankiem przychodziła Dalia, ciągnąc za sobą wstążki, z grzebieniem i klejącą tubką wellaformu.

– Zapleć mi włosy, szybko, bo spóźnię się do szkoły.

Wellaform sprawiał, że włosy Dalii błyszczały i kleiły się do palców Sammar. Wycierała je o swoje włosy i zakrywała je, zanim ojciec Dalii schodził na dół, żeby przywitać się z teściową w drodze do pracy. Pracował w rodzinnej fabryce lodu. Każdego ranka mówił to samo:

– Czy ciotka czegoś potrzebuje?

A ona każdego ranka odpowiadała to samo:

– Tylko twojego dobra.

Chociaż w innych porach dniach chciała, żeby zrobił to czy tamto, przyniósł to czy tamto, przekazywała wiadomości przez Hanan. Kiedy miał trochę czasu, pił herbatę z ciotką, Sammar podawała cukier, częstowała herbatnikami. Najczęściej poranek przebiegał w pośpiechu i nie miał czasu przysiąść. Trzymał Dalię za rękę, ładną w szkolnym mundurku i warkoczach, witał się z teściową i pytał:

– Czy ciotka czegoś potrzebuje?

Jak wyglądało życie? Niedostatek i obfitość, ramię w ramię niczym cud. Poddaj się jednemu i drugiemu. Bieda i słońce, bieda i klejnoty na niebie. Susza i obfity Nil. Choroba i czyste serca. Opowieści sąsiadów, związki.

Dwudziestolatek złamany polio, popatrz na niego, jaki gruby i niezgrabny, podpiera się laską.

Na stole operacyjnym, zanim mnie uśpili, widziałem muchy bzyczące mi nad głową....

Ani to, ani tamto. Brak wody. Na tej ziemi, którą zalewa Nil, nie ma wody. Nie ma wody, żeby wziąć prysznic, spuścić wodę w toalecie, gotować, pić. Jazda samochodem na drugi koniec miasta, żeby napełnić duże kanistry wodą z czyjegoś kranu w ogrodzie. Przechylanie wiader z wodą nad sedesem, nabieranie wody z wiadra do mycia.

Gdy brakuje wody, puszczają nerwy. Nawet bardziej niż podczas przerw w dostawie prądu. Kiedy znów była, wypływała z kranów, charkocząc, ciemnobrązowa od osadu, trująco czarna. Stopniowo stawała się coraz czystsza. Nawet wtedy trzeba było ją filtrować, zanim się ją piło lub używało do gotowania. Wyzwaniem było przeżycie kolejnego dnia, przetrwanie wymagało wysiłku. Były jednak żarty. Żarty z braków, reglamentacji i rządu. Śmiech w upalne wieczory w ogrodzie, ciotka uśmiechnięta jak kiedyś, koniki polne i żaby głośne jak dzieci.

I codziennie Amir w szkolnym mundurku, biała koszula mokra od potu i zakurzona, brudne buty. „Dlaczego zgubiłeś ołówek?”... „Nie, nie możesz kupić waty cukrowej od sprzedawcy przy furtce. Pełno w niej zarazków”. To jej życie. Walka z malarią, zasypka z penicyliną na skaleczenia dzieci. Godzina policyjna o jedenastej. Zanurzanie się, zatracanie się, żeby nie było w ciągu dnia czasu na rozpamiętywanie, czasu na fantazje w nocy.

19

A jednak jej się śnił. To były sny, w których ją mijał, nie patrząc na nią, nie odzywając się do niej. Sny, w których był zajęty rozmową z innymi. Kiedy chciała zwrócić na siebie jego uwagę, krzywił się i obrzucał ją zimnym spojrzeniem, bez życzliwości. Budziła się z takich snów z podrażnionymi oczami, mamrocząca i niezdarna, upuszczała rzeczy, nie odkładała ich na miejsce. Pytana, co z nią nie tak, odpowiadała, że ma „te dni".

Żadnych wiadomości od niego. W listach od Yasmin słowa pochylone i duże: jej córka nie śpi w nocy, jej córka ząbkuje, zdjęcie dziecka, ani słowa o Rae. Kiedy odpisywała na listy Yasmin, pilnowała się, żeby o niego nie pytać, nie pytać o nowiny ani nawet nie wspominać o nim przy okazji, nie rzucać uwag, jakie bez przerwy słyszała od wszystkich wokół w Aberdeen, od Diane, od pachnących kawą sekretarek, od jego doktorantów, mężczyzny z Sierra Leone. Chciała wiedzieć, jak się miewa, jak jego zdrowie, czy ma nowych doktorantów, gdzie opublikował artykuł, nad którym pracowali z Fareedem, kto go dla niego przetłumaczył? O to spytała Yasmin, kiedy wreszcie sobie na to pozwoliła, ale nie używając jego imienia, bez zapisywania go. *Znaleźli kogoś na moje miejsce?* – zapytała. Ale Yasmin była na przedłużonym urlopie macierzyńskim, w innym świecie, ze swoją małą córeczką, nie śpieszyła się z powrotem do pracy, niezbyt zainteresowana.

Odpisała: *Nie, nie wydaje mi się, żeby ktoś teraz tłumaczył dla wydziału, ale nie jestem pewna.* A Sammar poczuła tęsknotę za swoją starą posadą, za samym charakterem pracy, tłumaczeniem z angielskiego na arabski, gdy starała się być przezroczysta jak szkło, nie przesłaniać znaczenia słowa. Brakowało jej ciasnego pokoju z szumem komputera. Brakowało jej Diane z zapachem czipsów serowo-cebulowych, niewinnością, z jaką mówiła: „Dzisiaj zajęcia u Rae były bardzo ciekawe. Jeden gość zapytał o...".

A zatem to jest wygnanie od niego. Nigdy nie słyszeć jego imienia. Żyć w miejscu, gdzie nikt go nie zna. A w chwilach słabości, z powodu snów, potrzeba i niemożność mówienia o nim. Chciała powiedzieć cokolwiek, nawet najbardziej trywialnego. Czasem w towarzystwie przyjaciółki, Nahli, a nawet Hanan, chciała o nim mówić. Katalizatorem było pytanie, pytanie o jej pobyt w Szkocji. Pytanie, po którym następowała cisza, szansa na punkt zwrotny, a potem przestrzeń wypełniały inne słowa. Obawiała się brzmienia swojego głosu, gdy będzie o nim mówiła, śmieszności i uczucia wstydu. Wiedziała, że zamkną się na niego, słysząc, że jest cudzoziemcem, ich umysły się po tym zamkną. Oczy otwarte szeroko ze zdziwienia, cudzoziemiec? Wyobrażałyby sobie go jak kogoś z amerykańskiego filmu. Jak na filmach wideo, które oglądały: ochroniarz, mężczyzna, który naprawdę jest robotem obciągniętym skórą. Nie chciała, żeby go sobie tak wyobrażały. Ich obwiedzione kredką oczy, ciepłe, szeroko otwarte, a ona świadoma, co mają w głowie, że będzie musiała jakoś go bronić, brnąć przez pytania, które by zadały.

– Nie, on nie jest taki, właściwie nie...

– W połowie cudzoziemiec?

– Nie, on nie jest taki... nie niecierpliwy, nie... chłodny.

– Wciąż nie mogę w to uwierzyć. Chrześcijanin?

– Nie, właściwie nie.

– Jak to?

– Nie jest religijny, nie chodzi do kościoła. Nie jest pewien...

– Nie jest pewien?

– Wierzy w Allaha, ale kiedy go spytałam, czy zgadza się, że Mahomet, pokój niech będzie z Nim, jest jego Prorokiem, powiedział, że nie jest pewien.

– Ty, Sammar, nie jesteś jedną z tych nowoczesnych dziewcząt, które wychodzą za cudzoziemców. Nie należysz do tego typu dziewcząt.

– Tak czy inaczej, nic z tego nie wyszło. Nie udało się.

– Ale dlaczego w ogóle pozwoliłaś sobie na to, żeby się w to zaangażować?

Jeśli zacznie o nim mówić, będzie musiała odpowiedzieć na wszelkiego rodzaju pytania, poczuć gorąco z powodu onieśmielenia i tego, czego nie może wyznać, iż się ugięła, błagała go: powiedz tylko shahadah, powiedz tylko te słowa i to wystarczy, wtedy będziemy mogli się pobrać. Nie było się czym chwalić. Hanan pewnie powtórzy to mężowi, żeby go rozerwać po ciężkim dniu pracy. Nahla powtórzy matce plotkę z domu sąsiadów. Rozsądnie było milczeć, zająć się czymś, zapomnieć. Mówiła do siebie, przekonywała siebie, że go nie zna. Nie rozumiała wyrażeń „atmosfera lat sześćdziesiątych" ani sobotniego popołudnia w Edynburgu, kiedy ożenił się w kościele, ubrany w kilt. Jak mogła pojąć takie rzeczy, czuć się z nimi związana? Prawiła sobie kazania, kiedy przychodziły sny i ją osłabiały. Muszę zacząć nowe życie, przestać być sentymentalna, przestać się nad sobą użalać. Każdemu czegoś brakuje. Niektórzy ludzie nie mają nawet w domu bieżącej wody. I niemowlęta, które umierają, i inflacja zaciskająca się ludziom pętlą na gardłach. Jestem taką szczęściarą, że stać mnie na lekarstwa dla syna i ubrania na Eid, porządne posiłki, a nawet luksusy, zbędne rzeczy, jak wypożyczanie filmów na wideo. Powinnam być wdzięczna. Gdybym była dobra, gdyby moja wiara była mocna, czułabym wdzięczność za to, co mam.

Ale śniła o nim. Realistyczne sny, w których mijał ją, blisko, na tyle blisko, że czuła jego zapach, ale na nią nie patrzył, nie rozmawiał z nią. W jednym śnie była mała jak dziecko w pokoju pełnym dorosłych i dymu. Była w jego pokoju, szukając go, stała niedaleko stołu, dużego i wysokiego. Stanąwszy na palcach, zauważyła, że stół jest zielony, solidny zielony prostokąt bez sztućców, jedzenia czy picia. Wyciągnęła rękę i okazało się, że stół jest płytkim pudłem obwiedzionym zieloną szorstką wełną. Po drugiej stronie stołu Rae rozmawiał z mężczyzną, którego nie rozpoznała, mężczyzną w okularach, z prostymi czarnymi włosami opadającymi na oczy. Pokój był pełen ludzi większych od niej, starszych od niej. Ich niezadowolenie unosiło się w pokoju, w dymie, i jak w innych snach Rae zbliżył się do niej, a potem ją minął, rozkojarzony, nieświadomy jej obecności, ponieważ była zbyt młoda i za mała dla niego.

Rano zaczerwienione oczy, tak sen wpływał na czekający ją dzień. Wiatrak na suficie kręcił się powoli, rozprowadzając powiew wpadający przez okno. Ptaki były wojowniczo nastawione. Sposób, w jaki sen zagraża dniowi, wyostrza pamięć. To tylko sen, a potrafi wywołać nudności, suchą bolesność oczu.

Mleko, które wlała do herbaty ciotki, było skwaśniałe i musiała przygotować nową filiżankę. Wysłała Amira do szkoły, nie dopilnowała, żeby umył zęby, zostawiła włączony wiatrak w pustej sypialni na cały poranek. W pracy czuła, że jej nie zależy, że zupełnie nie ma znaczenia, iż jej dorośli uczniowie z trudem czytają i piszą. Analfabetyzm wahał się od sześćdziesięciu do osiemdziesięciu procent w zależności od tego, kto miał rację, a dzisiaj brakowało jej energii i chęci, żeby go zredukować.

– Co się z tobą dzieje? Jesteś zmęczona? – pytano ją.
– Siostro, proszę mówić głośniej, nie słyszymy.

Rano były zajęcia dla kobiet: matki, babki, dzisiaj, zamiast czytania, lekcja na temat zdrowia poświęcona karmieniu piersią. Program nauki czytania został ustalony przez komisję rządową, a z powodu braku książek korzystano z podręczników dla dzieci. Z tych samych książek, z których uczyli się Dalia i Amir. *Jestem dziewczynką. Pochodzę z wioski. Jestem chłopcem. Pochodzę z wioski. To jest wielbłąd. Tą są daktyle.* Uczenie się z takich książek było upokarzające. Czuła to w ich głosie, swego rodzaju napięcie u mężczyzn (którzy stanowili większość na wieczornych zajęciach) częściej niż u kobiet, które zbywały to śmiechem, mówiąc: „Teraz mogę przeczytać podręczniki szkolne moich dzieci". Z tego powodu lekcje poświęcone zdrowiu i edukacji społecznej były lepiej przyjmowane. Miała szczęście, że w dniu, kiedy jej motywacja była najsłabsza, trafił się tak zajmujący temat jak karmienie piersią.

– Zostawiłaś włączony wentylator w sypialni – powiedziała ciotka, w jej oczach znajoma pogarda, specyficzny ton głosu, pragnienie wojny. To były pierwsze słowa, które wypowiedziała, kiedy Sammar, Amir i Dalia wrócili do domu. Dalia z lizakiem w buzi, który dostała od przyjaciółki, Amir ciągnący za sobą tornister, udający, że jej nie zazdrości. Sammar zdjęła okulary, nalała sobie szklankę wody z lodówki. Usiadła na jednym z dziecięcych stołków naprzeciwko klimatyzatora, postawiła szklankę na stoliku do kawy.

– Przepraszam – powiedziała.

Nie mogła przyznać, że przyczyną był sen. Wszystko szło nie tak z powodu snu. Zaczęła pić wodę. Woda z Nilu, cudowna na pragnienie, *alhamdullilah*.

– Prąd nie jest za darmo – zrzędziła Mahasen.

Siedziała na łóżku i usypiała niemowlę Hanan, poklepując je po plecach. Hanan była w pracy. Pracowała dłużej niż Sammar, była bardziej produktywna, bardziej skuteczna. Dziecko uniosło głowę i uśmiechnęło się do Sammar. A ona odpowiedziała mu uśmiechem, bezgłośnie wymawiając jego imię. Mahasen poklepała ją mocniej.

– Śpij wreszcie! – powiedziała do niego.

Sammar czuła, że jej ciotka chce powiedzieć coś jeszcze, że stwierdzenie „Prąd nie jest za darmo" to nie koniec. Uciekła, poszła do sypialni się przebrać, potem zawołała Amira na prysznic, żeby zjadł posiłek umyty. Mówił do niej, kiedy wycierała go ręcznikiem i ubierała, ale go nie słuchała, zobojętniała z suchymi oczami, lęk, że z jakiegoś powodu nie będzie w stanie dotrwać od końca dnia, że jest za długi, stanowi zbyt duże wyzwanie. Nawet modląc się, wciąż czuła wewnętrzne napięcie, złe przeczucia.

Główny posiłek dnia przebiegał jak zwykle i ojciec bliźniąt Hanan sprowadził je na dół i wrócił na górę. Dzieci siedziały przy stole. Natłok plastikowych naczyń, jej uwagi półgłosem:

– Powiedz *bismillah,* zanim zaczniesz jeść. Bądź grzeczna i zjedz do końca.

Dzieci czasem były żywe, czasem spokojne. Tego dnia po kilku pierwszych łyżkach było tak, jakby po domu tańczyły diabły, skakały po meblach i prowokowały dzieci. Wszędzie porozrzucany ryż, piski, walka, ziarenka ryżu w nosie i uszach. Amir uszczypnął Dalię, pokazał jej język. Dalia ugryzła Amira, obśliniając go, pogryziony ryż i ślad zębów na jego ręku. On pociągnął ją za włosy, szarpnął, a ona zaczęła krzyczeć. Krzyczała tak głośno, że Sammar wydawało się niewiarygodne, kiedy ich rozdzielała, żeby taki wrzask wydobył się z kogoś rozmiarów Dalii. Diabły tańczyły po kuchni, a Sammar obraz zamazywał się przed oczami. Miliony rozkrzyczanych dzieci, stukanie i hałas plastikowych talerzy, a ona w samym środku, zanurzona, zahipnotyzowana. Krzyk Dalii obudził dziecko, jego piąstki zacisnęły się w powietrzu, twarz wykrzywiła złość, jego własny rodzaj krzyku. Mahasen wzięła je na ręce i zaczęła kołysać. Jeśli się nie wyspało, do końca dnia było marudne.

– Ucisz je! – krzyknęła Mahasen. – Zrób coś, Sammar, zamiast gapić się na nie jak idiotka.

Ale dzieci ogarnęło szaleństwo, były silniejsze od niej. Biegały po kuchni, krzycząc i kopiąc. Biegały za szybko. Wreszcie w drzwiach stanęła Hanan – wyglądała jak bohaterka, solidna i opanowana, dystyngowana w fartuchu dentystycznym. Wymierzyła klapsa Dalii, wzięła swojego płaczącego niemowlaka na ręce i zagoniła rozbrykane bliźnięta na górę. Zostawiła Sammar z zawodzącą Dalią, przyklejoną do niej w głuchej ciszy. Jakby nic się nie stało. Amir bawił się samochodzikami na podłodze, rozmawiał z nimi i popychał je z rozmysłem z dywanu na płytki.

– Wszystko przez to, że jesteś bezużyteczna – narzekała ciotka. – Wystarczy kilkoro dzieci i nie umiesz sobie z nimi poradzić. Nie wiem, co się z tobą stało. Kiedyś byłaś energiczna i silna, a teraz po prostu stałaś się idiotką.

Chciała uciec od ciotki i Dalii, ale ta uczepiła się jej, klejąca i bezwładna. Chciała uciec w sprzątanie, ścieranie ryżu rozrzuconego na stole i na podłodze.

– Nie masz nawet prawdziwej pracy, pracy z porządną pensją. Ile dokładasz do gospodarstwa?

– Niewiele. – Jej głos brzmiał głucho, był posłuszny, mówił to, co Mahasen chciała usłyszeć.

– I nie przeszkadza ci noszenie cudzych ubrań? Nie masz odrobiny godności.

To była prawda. Dostała całą garderobę po Hanan, ubrania, które były na nią za ciasne po urodzeniu dziecka, już na nią nie pasowały. I prawdą było też, że nie miała poczucia godności. Ubrania, które ofiarowała jej Hanan, uszczęśliwiły ją. Były na nią za duże, za długie. Hanan była miła, kiedy Sammar mierzyła wszystkie stroje po kolei, przeglądając się w dużym lustrze, obracając w prawo i w lewo. Mówiła: „Wszystko wygląda na tobie ślicznie, Sammar". Teraz jej ciotka starała się jej to wszystko obrzydzić, chciała wywołać u niej zażenowanie.

– Powinnaś wrócić do Anglii, pracować tam i przysyłać nam paczki.

– Nie chcę wracać.

– Pochowaliśmy zmarłego, a ty rozpowiadałaś: „To dobrze, że zostawił mnie tylko z jednym dzieckiem, a nie trójką czy czwórką, co ja bym z nimi zrobiła?". Jak tak można powiedzieć! Widać, jaka jesteś podła, brak ci wychowania, nie masz szacunku dla jego pamięci. Teraz masz to jedno dziecko i nawet nie chcesz zabrać go do Anglii, żeby o nie zadbać.

Chciała pozmywać naczynia, czuć zapach mydła, kojący szum wody lejącej się na łyżki i talerze, ale była przygwożdżona przez Dalię, jej ciche szlochanie, jej głowę leżącą na jej kolanach. Ktoś musiał powtórzyć jej słowa Mahasen. Nigdy nie mówiła Mahasen, że cieszy się, iż ma tylko jedno dziecko. A teraz mogło to doprowadzić do starej kłótni o 'Am Ahmeda, do wyciągania starych spraw...

– Wiem, co się stało – ciągnęła ciotka, a jej głos był monotonny jak warkot klimatyzatora. – Wiem, dlaczego wróciłaś. Zwolnili cię, prawda? Nie pracowałaś dość dobrze? Nie myśl, że dam się nabrać na tę historię o twojej wizycie u Waleeda i wysłaniu listu z rezygnacją czy bzdurach o tęsknocie za rodzinnym krajem. Cudzoziemcy nie znoszą bzdur, wiem o tym. Gdyby było inaczej, ich kraje nie rozwinęłyby się tak bardzo. – Machnęła ręką w stronę zgaszonego telewizora, jej źródła wiedzy o świecie. – Po prostu nie byłaś dość dobra i cię odesłali.

– Nie. – Wpatrywała się w głowę Dalii na swoich kolanach, kosmyki, które powysuwały się z warkoczyków.

– Kłamiesz.

– Nie kłamię.

Przygładziła włosy Dalii zimnymi, niezdarnymi dłońmi.

– Kłamiesz i zabiłaś mi syna.

Pokręciła głową, niepewna, czy jej ciotka miała na myśli to, co powiedziała, czy też zrodziło się to w jej mętnym umyśle. Nie była to kwestia z egipskiej opery mydlanej, którą ciotka cytowała. „Zabiłaś mi syna". Mahasen naprawdę wypowiedziała te słowa na głos. Na jej twarzy widniał teraz pewien rodzaj triumfu, jakby wreszcie wydobyła gdzieś z głębi to, co zawsze chciała powiedzieć.

Zaprzeczenie utknęło Sammar w gardle.

– Męczyłaś go o samochód. – Głos ciotki był teraz skoncentrowany, wyraźny. – Męczyłaś go dniem i nocą i napisał o pieniądze.

Sammar pokręciła głową. Nie wiedziała, nie wiedziała, że brakowało mu pieniędzy, że poprosił o nie matkę.

– Nie powiedział mi – odezwała się, oddychając z lękiem, bojąc się, że jej umysł się ugnie, podda się temu szaleństwu, pogodzi się z tym oskarżeniem, wieczne życie w poczuciu winy.

– Męczyłaś go o samochód i ten samochód go zabił. W liście napisał: *Proszę, mamo, pomóż mi, Sammar mnie denerwuje, twierdząc, że tutaj jest za zimno, żeby gdziekolwiek chodzić piechotą, kupmy samochód.* Potem wysłałam mu pieniądze.

Tariq napisał do Mahasen, żaląc się... *Sammar mnie denerwuje*... To bardzo do niego pasowało, do sposobu, w jaki się wyrażał. *Sammar mnie denerwuje*. Zauważyła to wyraźnie, pomimo lat, pomimo przepaści pomiędzy ich a jej światem. To bardzo do niego pasowało, do sposobu, w jaki się wyrażał. Do sposobu, w jaki czasem odzywał się do matki, jakby istniała jakaś konspiracja przeciwko niemu, zagrażająca jego karierze. Był taki... Sammar starała się sobie przypomnieć czas przed kupnem samochodu, starała się przypomnieć sobie, czy go o to męczyła. To było lata temu. Nie powiedział jej, że brakuje mu pieniędzy, nie powiedział, że napisał do Mahasen z prośbą o pieniądze. Myślała, że chce mieć samochód tak samo jak ona. A teraz nie mogła go o to spytać. Słowa ciotki zawisły w powietrzu, flaga zwycięstwa, nie można im było zaprzeczyć ani ich odrzucić.

– Dalio, wstań. – Delikatnie zdjęła głowę dziecka z kolan. Dalia usiadła i potarła oczy. Sammar zaczęła zbierać talerze ze stołu i zmiatać ryż z podłogi. Czuła, że ciotka patrzy, jaka jest nieudolna, niezdarna, powolna. Czuła chłód, kości miała zimne i sztywne, w jej ruchach brak było płynności i swobody. Pragnęła łóżka, kołdry, snu. Chciała spać, jak kiedyś spała w Aberdeen, wszystko mętne i szare, kulenie się, chowanie głowy pod koc, oddech ogrzewający kokon, który stworzyła.

Amir włożył kasetę do magnetowidu i pokój wypełniła wesoła muzyka. Dalia usiadła na podłodze ze skrzyżowanymi nogami i patrzyła na lecącą w powietrzu Mary Poppins. Mahasen położyła się na łóżku, oparła głowę na łokciu i też oglądała film. Miała spokojną twarz, jakby teraz, po wybuchu, była wyczerpana, spełniona.

Ręce Sammar nie trzęsły się, kiedy zmywała naczynia. Woda pryskała z kranu. W mydlinach były kolory, róże, zielenie. Umyła szklanki i postawiła je do góry dnem, żeby wyschły, przenosiła ciężar ciała z jednej nogi na drugą. Coś, o co można się oprzeć, podeprzeć, co podtrzyma. Gdyby mogła uwierzyć, że ją kocha, że teraz o niej myśli... Ale nie mogła uwierzyć, nie mogła zmusić się, żeby uwierzyć. Nie miała tego w sobie. W jej wnętrzu była tylko jaskrawa twardość. Od miesięcy go nie widziała, miesiące temu wyjechała z Aberdeen. On jest daleko. Zapomniał o niej, jest cudzoziemcem, a ona jest tym, kim jest. Do tej pory na pewno poznał inną kobietę. Od dawna nie mieszka z żoną, trzeba być realistką w tego typu kwestiach. Jego świat rządzi się innymi prawami. Może poczuł ulgę, kiedy wyjechała, cały ten bałagan, komplikacje. Inna kobieta, bardziej osiągalna, lżejsza. Kobieta z lżejszym wzrokiem, lżejszym sercem, ktoś, kto nie dba o to, czy on wierzy w Boga, czy nie.

Sammar skończyła zmywać naczynia i stanęła w drzwiach salonu. Widziała, jak Dalia lekko mruży oczy, patrząc w telewizor. Chciała powiedzieć ciotce, że nikt nie zabił Tariqa, że to się po prostu stało, że nadszedł jego dzień. Chciała powiedzieć, że Allah daje życie i je zabiera, i że nie czuje się winna, że chciała, żeby Tariq kupił samochód. Nie ona była winna. Gdyby jej powiedział, że brakuje mu pieniędzy, zrozumiałaby i pogodziła się z tym. Ale jej nie powiedział. Chciała powiedzieć ciotce: uważaj, kiedy mówisz o zmarłych, bo nie ma ich tu, żeby mogli się bronić. Dlaczego mi powiedziałaś, że się na mnie poskarżył, napisał, że działam mu na nerwy? Nie chciałby, żebym się o tym dowiedziała.

Mahasen podniosła wzrok.

– Skończyłaś?

– Tak.

Mahasen znów przeniosła wzrok na swoje dłonie, wtarła biały krem w zwiotczałą skórę.

Teraz przyszedł czas, żeby Sammar powiedziała to, co chciała powiedzieć.

– Kiedy mówię, że powinnaś wracać do Anglii – odezwała się Mahasen – to dla dobra twojego i Amira. Nie dla własnego. Amir wypełnia dom, a ty mi usługujesz...

Dom. Oczywiście, trzeba było wspomnieć o domu. Należy również do niej...

– Lepiej nam tutaj – powiedziała Sammar. Wyparowały słowa, które chciała powiedzieć, kiedy przyszła z kuchni. Jej głos brzmiał jak głos obrażonego dziecka. – Nie straciłam pracy, nie odesłali mnie. Sama odeszłam.

Mahasen westchnęła, jakby jej nie uwierzyła, jakby spełniała jej zachciankę.

– Dobrze już, dobrze – mruknęła i wbiła wzrok w telewizor.

W sypialni nie było gorąco. Można było wytrzymać z włączonym wiatrakiem i żaluzjami zasłaniającymi słońce. W pokoju unosił się zapach jej ciotki, zapach kremów i wody toaletowej. Sammar usiadła na łóżku, oparła się o ścianę, objęła dłońmi kolana i zapatrzyła na rysy na suficie. Niektóre były gniewne i bolesne, inne delikatne i ledwo widoczne: Europejka z dawnych czasów w rozłożystej sukni, cedr. Pragnęła poczuć, że Rae jest blisko niej, pomimo gniewnych słów, jakie mu powiedziała, pomimo jego „odejdź, zostaw mnie". Modliła się, żeby poczuć go blisko, nie jak we śnie, nie roztargnionego, nie mijającego ją. Gdyby tylko przyśnił jej się dobry sen o nim. Jeden dobry, dodający otuchy sen. Teraz jest tak daleko, że nie potrafi wyobrazić sobie jego głosu, nie wierzy w to, co jej powiedział. Kolejne wygnanie. Zwątpienie, wygnanie w niepewność, czy cokolwiek między nimi było, brak namacalnego dowodu. Perfumy, które jej podarował, są w innym pokoju, zamknięte w walizce razem ze wszystkimi rzeczami, których nie potrzebowała: wełną i rajstopami, budrysówką. Wszystkie ubrania, w których ją widział, zamknięte w spiżarni wraz z workami soczewicy i ryżu.

Dzisiaj jest słaba. Z powodu snu z zeszłej nocy i tego, że zirytowała ciotkę. Nie potrafiła sobie dokładnie przypomnieć, co zrobiła, żeby ją zdenerwować, wywołać słowa, które z niej wypłynęły. Rysy na suficie. Wiatrak? Dzieci? Dzieci biegające wokół jak diabełki, okropnie hałasujące, potem, kiedy Hanan weszła i wyszła, jej ciotka powiedziała rzeczy... Jej ciotka wini ją za śmierć Tariqa. To dziwne. Żałowała, że nie było Hanan albo Waleeda, bo wtedy czułaby, że jest przy zdrowych zmysłach i bezpieczna, może mniej wystraszona. Nawet gdyby się nie odezwali z szacunku do ciotki, czułaby, że są po jej stronie. Rae był po jej stronie. Powiedział jej to w szpitalu, kiedy pokazała mu list od ciotki, adres na kopercie, Aberdeen, Anglia. Powiedział, że przeciąga go na swoją stronę w każdej kłótni z ciotką. Tak powiedział. Przypomniała sobie. Przypomniała. Szpital i jak trudno było otworzyć szklane drzwi wejściowe. To, jak wyglądał, gdy ją zobaczył. Przypomniała sobie. Uśmiech, spojrzenie na damę w rozłożystej sukni i gałęzie cedru.

To był żart. „Właśnie przeciągnęłaś mnie na swoją stronę, Sammar, we wszystkich twoich kłótniach z ciotką". To był żart z adresu, a ona się roześmiała. Ktoś na poczcie czerwonym długopisem skreślił słowo „Anglia". Pokazała mu kopertę, a on trzymał ją w ręku. Na wierzchu dłoni miał plaster, bo amoxycylinę podawano mu dożylnie. Uważał, że Sammar ładnie wygląda. Miała na sobie nowy płaszcz w kolorze henny z kołkami zamiast guzików. Na sali było ciepło, zbyt ciepło, i chciała zdjąć płaszcz, ale była za bardzo onieśmielona. Kiedy powiedział jej, że ją kocha, to było dziwne, bo nikt nigdy nie powiedział jej tych słów po angielsku. Nie brzmiały wcale jak na filmie, powiedział je tak, jak mówił, zwyczajnie. Gdyby teraz mogła mieć wszystko, czego zapragnie, chciałaby obejrzeć jego zdjęcia z młodości, czarno-białe zdjęcia i te pierwsze kolorowe. Jego włosy i ubrania, które nosił. Chciałaby oglądać te zdjęcia i zadawać mu pytania. Byłby bardziej zainteresowany nią niż fotografiami, odpowiadając z oporami, mniej chętny do opowiadania o przeszłości niż ona. To z powodu sposobu, w jaki na nią patrzył, sprawy stawały na głowie, czuła się niezręcznie, niepewna niczego. Gdyby nie byli mężczyzną i kobietą, gdyby byli tylko i wyłącznie przyjaciółmi, gdyby między nimi było tylko czyste powietrze, byłaby cierpliwa, pytając go o to, czy wierzy w Boga, słysząc w odpowiedzi: „Nie jestem pewien".

Są ludzie, którzy przekonują innych, by przeszli na islam. Ludzie głęboko wierzący, z rodzaju tych, którzy mało śpią w nocy, ale mają w sobie energię. Nie robią tego z powodów osobistych, dla doczesnych korzyści. Robią to dla dobra Allaha. Słyszała historie o ludziach, w których dokonała się przemiana: więźniach z Brighton, niemieckim dyplomacie, Amerykaninie o greckich korzeniach. Ktoś wpływający na kogoś innego, bez egoistycznych pobudek. A ona, rozmawiając z Rae, chciała wielu korzyści, przepełniały ją. Chciała jechać z nim do Stirling, gotować mu, znaleźć stabilizację, być czyjąś żoną.

Nigdy, ani razu nie modliła się o to, żeby został muzułmaninem dla własnego dobra. Zawsze chodziło o nią, jej potrzebę, żeby znów wyjść za mąż, nie być samą. Gdyby udało jej się wznieść ponad to, oczyścić własne intencje. Był dla niej dobry, a ona nie dała nic w zamian. Teraz to zrobi z daleka, a on się nawet o tym nie dowie. To będzie jej tajemnica. Nawet jeśli zajmie to dziesięć miesięcy czy dziesięć lat albo dwadzieścia lat lub więcej.

20

To mój pierwszy ramadan od powrotu – odpowiedziała na pytanie Waleeda.

– Tak, nie było cię z nami rok temu – westchnęła Mahasen, sięgając po następną kromkę chleba. Sammar cienko pokroiła pieczywo. Ostatnimi czasy bochenki były bardzo małe, a ich cena miała jeszcze wzrosnąć.

Jedli posiłek w ogrodzie we troje. Ani światło elektryczne, ani lampy ogrodowe nie mogły konkurować z księżycem. Świeca, którą Sammar przyniosła z domu, okazała się niepotrzebna, więc ją zgasiła.

Była połowa miesiąca ramadan i pełnia Księżyca. Od jutra zacznie się kurczyć i znikać. Kiedy pojawi się Księżyc w nowiu, nastąpi koniec ramadanu. Koniec poszczenia, gości mówiących *Eid Mubarak* i nowych ubrań dla dzieci.

Rzadko bywała sama z Waleedem i Mahasen, bez innych, bez dzieci. Hanan pojechała z rodziną do teściów, zabierając Amira. Sammar i Mahasen miały przerwać post razem, ale przy pierwszych słowach azanu o zmierzchu, zanim zdążyły zjeść daktyle, zadzwonił dzwonek do drzwi. Kiedy Sammar otworzyła bramę wejściową okazało się, że to Waleed. Była taka szczęśliwa i zdziwiona, że go uściskała, a on spytał:

– Co z tobą?

– A co z tobą, że przychodzisz sam bez żony?

– Je z rodzicami – odpowiedział krótko. Sammar nie spytała go, dlaczego jej nie towarzyszy, ponieważ wszyscy troje poszli zjeść, przerywając post daktylami i *kerkedeh*, a ciotka powiedziała do Waleeda:

– Gdybyśmy wiedziały, że przyjdziesz, przygotowałybyśmy sok grejpfrutowy.

Gdy Sammar włożyła słój z *kerkedeh* do lodówki i wyrzuciła pestki daktyli, pomodlili się. Modlili się razem i Waleed prowadził, a Sammar i Mahasen stały blisko, dotykając się ramionami i ubraniami. Ruchy Mahasen były powolne, kiedy się pochylała, klękała i opierała czoło o matę. Sammar czuła, że Waleed specjalnie robi przerwy, zmniejsza tempo, żeby Mahasen mogła dotrzymać im kroku. Kiedy skończyli się modlić, wyłączono prąd. Nagła cisza klimatyzatora, nagłe zgaśnięcie świateł, wiatrak obracający się coraz wolniej. W nieruchomym powietrzu i słabym blasku zachodzącego słońca Sammar policzyła swoje palce dwadzieścia siedem razy. Nie ma boga nad Allaha, a ja szukam przebaczenia u Allaha za moje błędy i wiarę w mężczyzn, i wiarę w kobiety...

W pokoju rozległ się donośny głos ciotki:

– Niech Allah przeklnie ich i całe ich życie, czy teraz na to pora? – „Oni" to była elektrownia i rząd, w oczach Mahasen pojęcia nierozerwalne. – Przez nich życie nam obrzydło... – narzekała. W pokoju bez klimatyzacji robiło się coraz cieplej, ale mimo iż było ciemno, dobrze się widzieli.

Waleed wstał i zwinął dywanik.

– Błaganie poszczącego będzie wysłuchane. – Uśmiechnął się. – Elektrownia na pewno ma już kłopoty.

– Cała okolica ich przeklina – powiedziała Mahasen, wstając.

Sammar wzięła dywanik z rąk Waleeda i podniosła swój i ciotki z podłogi. Wydawało jej się śmieszne, że cała okolica naprawdę rzuca klątwę na elektrownię i cała ta energia unosi się w powietrzu. Niektórzy ludzie tak poważnie traktowali przerwy w dostawie prądu. Jak jej ciotka, która zawsze wpadała w złość.

– Zjedzmy w ogrodzie, ciotko – powiedziała i Mahasen westchnęła, kiwając głową. Od dnia, kiedy Mahasen powiedziała: „Zabiłaś mi syna", ich stosunki, o dziwo, się poprawiły, złagodniały. Jakby Mahasen powiedziała najgorsze, co mogła powiedzieć, i po tym nie było już innych oskarżeń.

W kuchni, przy świetle świec, Sammar podgrzała jedzenie, rzucając na ściany ogromny cień. W kuchni było gorąco, a powietrze bez klimatyzatora stało i słyszała karaluchy biegające po podłodze. Lecz kiedy usiedli na dworze, z poduszkami na krzesłach, obrusem na chybotliwym stole i w powiewach wiatru, posiłek był smaczny i było przyjemniej niż w domu. O wiele przyjemniej niż w zwykły dzień, kiedy jedli w pokoju z włączonym klimatyzatorem i całym tym światłem.

– Podczas ostatniego ramadanu – powiedziała Mahasen, zbierając potrawkę kawałkiem chleba – ani razu nie wyłączyli prądu. Sprawy powinny iść ku lepszemu, a jest coraz gorzej.

Podczas posiłku Waleed nie odzywał się zbyt często. Tylko potakujące pomrukiwania na słowa ciotki oraz „Nalej mi wody, Sammar". Wygląda na zmęczonego, pomyślała, zmęczeniem innym niż typowe dla postu. Być może pokłócił się z żoną i dlatego nie poszedł z nią do jej rodziców. Zamiast tego jest dzisiaj z nimi i Mahasen zachowuje się taktownie, nie zadaje pytań, zadowolona, że go widzi. Mahasen potrafi być zaskakująco taktowna, kiedy jej to pasuje. Obecność Waleeda ją ożywiła. W towarzystwie Sammar byłaby milcząca i wycofana.

Kiedy skończyli jeść, Sammar zaniosła naczynia do kuchni i przygotowała herbatę. Wsypała do czajnika liście mięty, napełniła cukiernicę cukrem. Postawiła na tacy świecę, żeby wyjść na zewnątrz, przeszła z kuchni przez korytarz do salonu, trzymając tacę w jednej ręce, a drugą otwierając drzwi na ganek i zamykając je za sobą, żeby do domu nie zakradły się bezdomne koty. Na ganku doniczki z kaktusami i ciemnymi bugenwillami zalewało szare światło księżyca. Mogła teraz zdmuchnąć świecę, zejść po schodach, kierując się głosami ciotki i Waleeda.

Spokój siedzenia z nimi i nieodzywania się, nawet niesłuchania, kiedy rozmawiali. Waleed, serdeczny po posiłku, ze szklanką herbaty w ręku, wywołujący uśmiech na twarzy Mahasen. To dobre uczucie wynikało z ramadanu, z jedzenia i picia po całym dniu postu, kiedy słońce było zbyt gorące i bardziej dokuczało pragnienie niż głód, niechęć, by rozmawiać z kimkolwiek, oszczędzanie słów, mówienie tylko tego, co konieczne, co potrzebne, żeby przeżyć. Cały miesiąc takiej wolności i spoglądania na okrągły księżyc, świadomość, że minęła już połowa miesiąca, dwa tygodnie, i to skupienie zniknie. Bliskość głębi zniknie.

Dzisiaj, jak poprzedniej nocy i każdej nocy do końca ramadanu, budziła się kilka godzin przed wschodem słońca, modliła raz za razem, czytała Koran. To pora, kiedy modlitwy zostają wysłuchane, to ten czas w roku...

– Sammar, czy narzeczony Nahli nie pracuje przypadkiem dla dostawcy energii elektrycznej w Abu Zabi? – zapytała ciotka.

– W Katarze, nie Abu Zabi. Teraz jest w Doha.

– Więc udało mu się jednak dostać dobrą pracę. – W głosie Waleeda pobrzmiewał podziw, powściągnął zawiść.

– Tak, po awanturach i kłótniach, i dwukrotnym odkładaniu ślubu – powiedziała Mahasen. – Ta dziewczyna miała wyjść za mąż kilka miesięcy temu i nadal czeka.

– Praca w katarskiej elektrowni to bardzo dobre zajęcie – stwierdził Waleed. – Jak ją dostał?

– Przez znajomego znajomego – odrzekła Sammar.

– Oczywiście, że przez znajomego znajomego – przyznał, ale bez złośliwości. – Ale kogo?

– Nie wiem. Mogę się dowiedzieć.

– Tylko pytam. – Wzruszył ramionami i dopił herbatę.

– Nie pobiorą się do grudnia. – Sammar zwróciła się do ciotki. – Nahla mi wczoraj powiedziała. Muszą załatwić wizę, a ona ma egzaminy poprawkowe. Chce skończyć szkołę, zanim tam pojedzie.

– Tak jest dla niej lepiej. Katar to dobre miejsce, będzie tam mogła znaleźć dobrą pracę. – Mahasen mówiła z naciskiem. Chciała, żeby wszyscy dostali wspaniałą pracę, zarabiali dobre pieniądze, zdobywali pozycję w świecie.

– Mam przyjaciółkę w Katarze – powiedziała Sammar. – Pakistankę, którą poznałam w Aberdeen. Jej mąż pracuje w sektorze naftowym i został tam przeniesiony. Bardzo mu się podoba. – Yasmin była teraz w Doha z córką i Nazimem. Yasmin nie mieszka już nawet w tym samym kraju co Rae. Sammar nie mogła już napisać do niej, pytając o nowiny o nim. Kiedy miała taką możliwość, nie skorzystała z niej, lecz mimo to postrzegała to jako stratę i myślała: teraz nie łączą mnie z nim wspólni znajomi. Czy znam kogoś, kto zna jego? Diane? Fareeda? Nigdy nie odważyłabym się napisać do żadnego z nich.

Były jednak inne formy kontaktu: sen, świadomość, która nagle pojawiała się i zostawała przy niej. Pewnego dnia w ogrodzie z dziećmi, boso i ubrana w jedną z niechcianych przez Hanan sukienek, stała, podziwiając wilgotną ziemię na rabatkach, pod krzewami jaśminu, to, jaka jest miałka i pełna zagłębień. Wcisnęła palec nogi w błoto, zrobiła lekkie wgłębienie, a potem uklękła i dotknęła wilgotnej ziemi. Przypominała ciasto albo plastelinę, a mimo to, kiedy spojrzała na palce, wciąż były czyste. Czyste, ciężkie błoto. On taki był, ciężki w środku, inny niż reszta ludzi. Towarzyszyło mu to, kiedy wchodził do pomieszczenia i kiedy, mówiąc coś, w połowie przerywał, robił przerwę, zanim odpowiedział na pytanie, które zadała.

Innym razem, otwierając lodówkę, żeby podać ciotce szklankę wody. Nagły chłód, kiedy otworzyła drzwi lodówki w gorący dzień. Błękitny chłód, szron i znalazła się w Aberdeen, tam, gdzie był on, jego kurtka i kroki w szarości pod wiatr. Białe mewy i blade morze, aż ciotka za jej plecami krzyknęła:

– Co ty robisz! Nie stój jak idiotka. Zamknij lodówkę. Wszystko się rozmrozi.

Na początku tak było, chwila w ogrodzie i chwila przed lodówką, żywe, nagłe. Lecz im więcej się za niego modliła, tym częściej przychodziły te chwile, aż były z nią przez cały czas, nie tylko myśli, nie tylko wspomnienia, ale świadomość, która została.

Waleed rozmawiał z ciotką, a księżycowi wciąż nie zagrażały światła miasta. Był darem dla niej, czystszym niż woda, czystszym niż niebo...

Słowa Rae:

– Śniłaś mi się, znów ten sam sen. Wspinam się po schodach, stromych, kamiennych schodach, schodach, które są wilgotne i wąskie. Na górze otwieram drzwi i ty tam jesteś.

– Jestem szczęśliwa, że cię widzę?

– Jesteś... bardzo szczęśliwa. Dajesz mi szklankę mleka do wypicia.

– Mleko! Jakie to dziecinne z mojej strony!

– Ale kiedy piję, coś się dzieje. Coś takiego może się zdarzyć tylko we śnie... Z moich ust wypadają perły, spadają mi na dłoń. Wyciągam ją i ci pokazuję.

21

Grudzień. Podmuchy zimnego wiatru niosące pył, spierzchnięta skóra. Pomyślała: „Uwielbiam tę porę roku". Spojrzała przez okno samochodu na drzewa rosnące wzdłuż Nile Avenue: grube pnie, a za nimi spiętrzony Błękitny Nil. Zdjęła okulary i patrzyła, aż zaczęło ją boleć serce. Samochód prowadziła Nahla. Pojechały do wypożyczalni wideo, a potem Nahla odebrała od drukarza zawiadomienia o ślubie. Leżały na kolanach Sammar, sztywne białe koperty w paczuszkach.

– Dlaczego jesteś dzisiaj milcząca? – spytała Nahla.

– Po prostu się rozglądam. Myślisz, że będziesz tęskniła za Chartumem, kiedy wyjedziesz do Kataru? – Pod koniec grudnia Nahla miała wyjść za mąż i wyjechać, przeprowadzić się do Doha, gdzie mieszka Yasmin z córką i Nazimem. Jeśli kiedyś będzie ją na to stać, Sammar pojedzie w odwiedziny do nich obydwu.

– Nie wiem – odparła Nahla. – Początkowo nie, może potem. Teraz chcemy po prostu wyjechać, już tyle razy to odkładaliśmy.

– *Insha' Allah,* tym razem wszystko pójdzie zgodnie z planem.

– Czasem się boję – wyznała Nahla, zmieniając ton. – Czasem myślę, że ktoś z mojej albo jego rodziny umrze. Jakiś stary wuj, babka czy ciotka lada chwila padnie trupem i wszystko zepsuje.

Sammar się roześmiała.

– Po prostu powiedz *insha' Allah* i nic takiego się nie wydarzy.

Po rzece płynęła łódź z beżowymi i brązowymi żaglami, na przeciwległym brzegu widać było rolników pochylonych z motykami. Słońce odbijało się w płynącej wodzie i rozjaśniało jej powierzchnię, ale pod spodem rozciągał się niezgłębiony błękit.

Rok wcześniej, w grudniu, w innym miejscu, nie było słońca. Boże Narodzenie. Rae był w Edynburgu z rodzicami byłej żony, z zapakowanymi prezentami dla Mhairi. Czy nadal robi te same rzeczy? Jeździ po Szkocji, słuchając Boba Marleya, *Ambush in the night, all guns aiming at me...* Czy ocenia prace studentów, ogląda CNN i VH-1, czyta mnóstwo książek? Czasem mówił: „Jestem staromodnym socjalistą", czasem mówił: „...pod maską zachodniej propagandy islamskiego fundamentalizmu". Rok w jego świecie mógł być krótszy niż w jej, tak pełen zmian. Tutaj uchwalano nowe prawa, ceny szły w górę, starzy umierali, a dzieci dorastały i się zmieniały. Czy wciąż używa tego samego inhalatora marki Ventolin? Czy uczy studentów, że różnica pomiędzy zachodnim liberalizmem a islamem polega na tym, że w centrum pierwszego znajduje się wolność, a drugiego sprawiedliwość? Nie wiedziała, co robi w tym momencie, tego dnia, ale nie miało to znaczenia, był w pobliżu, jak we śnie. Sen o nocy na ganku, bez księżyca, a ona była bawiącym się dzieckiem, kwadratowe pola, gra w klasy. Na ganku było wiele osób, dorośli stojący i rozmawiający w ciemnościach, wśród nich on. Zobaczyła go i nie zdziwiło jej, że jest tutaj, na tym kontynencie, w tym kraju, na ganku jej ciotki. Wystarczało jej to, że się bawi, dłonie na drewnianych poręczach, zeskakiwanie po stopniach, linie na płytkach. Straciła go z oczu i zapomniała tak, jak zapominają dzieci, skupiona na schodach, aż położył jej rękę na ramieniu, i kiedy podniosła głowę, uśmiechnął się i powiedział: „Myślałaś, że nie znajdę cię po ciemku?". Nie odpowiedziała, stała się doskonała i gładka jak woda z ogrodowego węża.

To, co dawało jej siłę dzień po dniu: on przed śmiercią zostanie muzułmaninem. To nie było zbyt wielkie pragnienie, zbyt wielki cel modlitwy. Spotkają się w raju i tam nic nie pójdzie nie tak, absolutnie nic.

Wczoraj poszły z Mahasen odwiedzić grób Tariqa. Wyjechały z miasta tam, gdzie żadne budynki nie tamują wiatru. Jazda i odkrywanie płaskiego terenu, piasku, świadomość, że Tariq tam jest. Przywitanie się z nim i wszystkimi innymi. Ciotka usiadła na ziemi, nieruchomo, z nieotwartym Koranem na kolanach. Znalazły na grobach śmiecie, które wiatr przywiał przez ogrodzenie z drutu kolczastego. Skórka z pomarańczy, pusty karton po papierosach, pozostałości gniazda. Kapsel od butelki mirandy, powyginany i starty. Otarł się o rękę Sammar, kiedy go podniosła. Zaczęła czyścić ziemię, na kolanach, ostrożnie, nie wolno nadepnąć na ludzi leżących pod ziemią.

– Powinniśmy zwolnić tego stróża, to jego obowiązek – powiedziała do ciotki, ale nie otrzymała odpowiedzi. Bała się, że natrafi na coś gorszego niż śmieci: ślady bezpańskich psów. Zadaniem stróża było trzymanie bezpańskich psów z daleka, sprzątanie cmentarza, ochrona grobów przed złodziejami. Ale on nie jest taki, myślała Sammar, jaki powinien być cmentarny stróż. Nie ma czystych siwych włosów, dywanika, nie recytuje Koranu melodyjnym głosem. Jest młody, patykowaty, szczerbaty i pachnie haszyszem. Zbierała śmieci, a on, oparty o ścianę swojego domku, rzucał jej pożądliwe spojrzenia. To ją rozzłościło i poszła do niego, żeby mu powiedzieć:

– Jeśli znajdę psią kupę, będziesz musiał zacząć szukać nowej pracy.

Żałosnym tonem podał jakąś wymówkę i schował się w ciemnościach swojego pokoju. Krzyknęła za nim:

– Ja nie żartuję.

Czuła się bezpieczna, otoczona tymi wszystkimi grobami, całą prawdą. Porządki: zatłuszczona strona z gazety ze znajomą twarzą polityka, żyletka, trochę liści. Kiedy skończyła, umyła się pod kranem niedaleko domku stróża, znów dokonała *wudu*. Usiadła obok ciotki, objęła ją i pocałowała w policzek. Potem wzięła z jej rąk Koran i zaczęła czytać, słowo po słowie, wers po wersie, strona po stronie.

– Wejdź na chwilę – powiedziała, kiedy Nahla zatrzymała samochód przed domem.

– Nie, dziękuję, nie ma czasu.

– Wejdź i pokaż zaproszenia ciotce Mahasen.

– Wejdę na chwileczkę. Ale zaparkuję u siebie.

Kiedy Sammar czekała na ulicy, żeby mogły wejść do środka razem z Nahlą, rozmawiała z Rae. Powiedziała mu o plakacie, który widziała w wypożyczalni wideo, reklamie amerykańskiego filmu, nazwiska aktorów napisane po arabsku i angielsku. Powiedziała mu, jak tytuł filmu został przetłumaczony na arabski. *I kto to mówi* po arabsku zmienił się w *Ja, mama i Travolta*. Roześmiał się i powiedział: „To o wiele lepszy tytuł". Zobaczyła Hanan wyjeżdżającą zza rogu, z Amirem na przednim siedzeniu, Dalią na tylnym. Kiedy zobaczyli Sammar czekającą przed wejściem, zaczęli do niej machać.

Odciągnęła czarne metalowe skrzydła bramy, żeby Hanan mogła wjechać w cień wiaty. Brama była ciężka i ciągnęła się po ziemi, drążąc rowki.

Hanan zaparkowała samochód i wyłączyła silnik. Amir i Dalia wyskoczyli z samochodu i słowa powitania zmieszały się z trzaskiem zamykanych drzwi.

– Jest list do ciebie – powiedziała Dalia, a nadzieja była odruchem tak głupim jak mrugnięcie.

Sammar sięgnęła po kopertę, platynowa twarz królowej, perły wokół jej szyi. Ale poznałaby jego charakter pisma. To nie jest jego charakter pisma. Nie powinna robić sobie nadziei, to nie jest jego charakter pisma.

Jej nazwisko było napisane po arabsku, a na kopercie widniała pieczątka ze Stirling. Zaciekawienie i odgłos rozrywanego papieru, głosy dzieci, Nahla witająca się z Hanan.

Najpierw podpis. Fareed. Fareed Khalifa? Dlaczego do niej pisze? Wspomnienie o tym, jak go poznała w Aberdeen, przedstawiający ich Rae. Pytania, jakie zadawał, mnóstwo pytań, był kiedyś dziennikarzem i Izraelczycy zamknęli go w więzieniu. „Okrutnie się z nim obeszli - powiedział Rae. - Bardzo okrutnie". Ominąć linijki uprzejmego powitania, poszukać, czy jest imię Rae. Wreszcie po tylu miesiącach tęsknoty za samym jego imieniem jest. *Piszę w imieniu mojego przyjaciela Rae Islesa.* Przelecieć wzrokiem w dół strony: *...został... około czterech miesięcy temu... w moim domu... jestem szczęśliwy, że Allah otworzył jego serce na... Ramadan... pani pozwoleniem... jeśli się pani zgodzi...*

Jeszcze raz, przeczytać wszystko jeszcze raz, żeby nie ominąć żadnego słowa, naprawdę uwierzyć. Ekscytacja nowiną, uniesienie. Widziała samą siebie, głowa pochylona nad listem, uśmiech. Czerwone kwiaty jej chustki opadające na ramiona. Granatowy rozpięty sweter, okulary wystające z kieszeni. Spódnica dotyka wyblakłych pasków sandałów, jest pognieciona z tyłu od siedzenia w samochodzie. I łatwość, z jaką oddaliła się od dzieci, od Hanan i Nahli, od wiaty, od ogrodu. Dlatego, że dostąpiła właśnie zaszczytu, została nagrodzona. Zupełnie sama, cud, którego nikt inny oprócz niej nie pozna. Niebo się rozstąpiło, mała szczelina i coś przeszyło jej życie. Pod eukaliptusem, na tle ćwierkania ptaków, uklęknąć... czysty zapach liści jak vicks w cieniu i na trawie.

22

Później tego samego dnia zastanawiała się, gdzie mogłaby znaleźć prywatność, z dala od domagających się czegoś dzieci, zadających pytania kobiet. Nigdy wcześniej jej takiej nie widzieli: rozpromienionej, odmienionej. Przyzwyczaili się do niej jako do ducha wykonującego domowe obowiązki, myślami gdzie indziej, ospałej, pozbawionej entuzjazmu. Teraz zadawali jej pytania, ale ona nic nie chciała zdradzić, jej rozmarzony uśmiech, jej tajemnica... Gdzie znaleźć prywatność w tym domu... porę dnia, kiedy nie będzie potrzebna, nie będzie jej brakowało. Dokąd pójść? Gdzieś, gdzie jest chłodno, ciemno i spokojnie.

Jej sprzymierzeńcem był telewizor, z pomocą przyszedł film o mówiącym niemowlaku. Wszyscy oglądali, zauroczeni Travoltą, urodą młodej matki, mądrymi słowami niemowlęcia przetłumaczonymi na arabski, białe słowa na dole ekranu. Mahasen leżała na łóżku, oparta na łokciu, Hanan na łóżku naprzeciwko, młodsze odbicie, jej mąż siedział w fotelu z Hassanem na kolanach, a dzieci w różnych miejscach na podłodze z kanapkami z jajkiem.

Sammar otworzyła drzwi do spiżarni. Stęchłe powietrze nieużywanego, niewietrzonego pomieszczenia, zapach kurzu i ryżu. Zapaliła światło. Z sufitu zwisała żarówka, warstwa kurzu, która ją pokrywała, sprawiała, że pomieszczenie zalewało brązowawe matowe światło. Pomiędzy dużymi workami z soczewicą i fasolą, pomiędzy ogromnymi garnkami, używanymi tylko przy specjalnych okazjach, stała walizka, w której były jej zimowe ubrania. Budrysówka, plisowane spódnice, rękawiczki, wszystko, co nosiła w Aberdeen, ubrania, w których widział ją Rae. Walizka była zakurzona, palcem mogła napisać dużymi literami swoje imię. Jednak przyszła tu, żeby odpisać na list Fareeda. Miała go w kieszeni, nosiła go ze sobą przez cały dzień. Był z nią, kiedy Nahla pokazała Mahasen zaproszenia na ślub, podczas lunchu, kiedy zmywała naczynia, męczyła się z Amirem i jego pracą domową... To jej sekret, wkładała rękę do kieszeni i dotykała go, przy każdej okazji wyjmowała i czytała. Przy każdej okazji. Już wyglądał na zniszczony i pognieciony: poplamiony wodą, jajkami z kanapek dzieci, śladami palców Amira, który próbował wyrwać jej go z rąk, kiedy pomagała mu odrobić pracę domową z mnożenia.

Usiadła na walizce. Cztery miesiące temu, tak napisał Fareed, Rae został muzułmaninem, powiedział shahadah w domu Fareeda w Stirling. Dlaczego Rae jej wcześniej nie powiadomił, dlaczego czekał cztery miesiące? Żeby się upewnić, żeby się upewnić, że się z tego nie wycofa. Był taki ostrożny. A teraz prosi... To wywołało jej uśmiech. Miała ze sobą bloczek papieru lotniczego, długopis, dwie koperty. Zamierzała napisać dwa listy w dwóch językach. Będą zawierały to samo, ale nie będą tłumaczeniem. Najpierw napisała do Fareeda: długie akapity pełne uprzejmości, powitanie, nadzieja, że jego żona i dzieci mają się dobrze, są w dobrym zdrowiu. Kiedy skończyła, włożyła list do koperty i zaadresowała.

Napisała do Rae. Jedna przezroczysta kartka papieru, kilka linijek. Na kopercie napisała „Aberdeen, Szkocja".

Do spiżarni dotarły odgłosy z telewizora, dźwięki filmu *Ja, mama i Travolta*. Otworzyła zamek walizki i spojrzała na swoje zimowe ubrania. Rozłożyła wełniany materiał i poczuła zapach zimy i europejskich chmur. Założyła i zdjęła rękawiczki, zobaczyła rajstopy, od roku nie nosiła rajstop. Jej budrysówka w kolorze henny z jedwabistą podszewką. Znów ją włoży, kiedy wróci do Aberdeen, z kołkami zamiast guzików... W kieszeni znalazła owalny flakonik perfum z płynem w kolorze bursztynu. Otworzyła go i powąchała, zapomniała o kurzu i zapachu suszonej fasoli i ryżu. Pogładziła palcami szalik, który był zbyt ciepły, żeby nosić go w Chartumie, z wzorkiem w brązowe liście.

Jutro wczesnym rankiem pójdzie na pocztę. Kupi znaczki. Znaczki będą kolorowe. Mapa Sudanu albo zwierzęta z dżungli: słoń, nosorożec, hipopotam. Będzie trzymała listy w ręku i stała w słońcu przed skrzynką pocztową. Zawaha się przez chwilę, zanim je wrzuci. Potem będzie żyła dzień po dniu, zajmie się przygotowaniami do ślubu Nahli i będzie czekała. Czekała. Napisała Rae: *Proszę, przyjedź się ze mną zobaczyć. Proszę. Podaję mój adres...*

23

Dwa tygodnie później, kiedy otworzyła bramę i go zobaczyła, obydwoje się roześmieli, jakby wszystko było zabawne. I nie była tak nieśmiała, jak się spodziewała, nie była zakłopotana. Wyglądał na starszego i młodszego, niż go zapamiętała. Więcej siwych włosów, ale młodzieńczy wygląd, bo odbył długą podróż, ale nie był osłabiony ani zmęczony.

– Cały dzień szukałem tego domu. – I to też było zabawne.

Cały dzień szukał domu, jej domu. Cały dzień jej szukał, a ona się nie ukrywała, nie maskowała, chciała zostać odnaleziona. Było wiele pytań, które pragnęła mu zadać – dlaczego się zgubił, gdzie się zatrzymał – ale żadne z nich nie miało znaczenia, nie były pilne. Tylko teraźniejszość, dłoń dotykająca czarnej metalowej bramy, ciepłej, zalanej słońcem, ciągnięcie, żeby ją zamknąć. Ich kroki na cementowej podłodze pod wiatą, ich ubrania ścierające kurz z samochodu Hanan. Przeszli nad rowerem Amira leżącym na schodach prowadzących do ogrodu. Patrzyła na niego, a oczy bolały ją od słońca, ponieważ wybiegła na dźwięk dzwonka, bojąc się, że wszyscy się obudzą, i zapomniała założyć okulary.

To nie była pora typowa dla dźwięku dzwonka i odwiedzin. Było po lunchu, gdy cienie wszystkich rzeczy równe są ich wysokości, a ona cały dom zostawiła uśpiony, łącznie z dziećmi. „Śpijcie, bo inaczej nie pójdziecie wieczorem na wesele Nahli" – postraszyła je i wreszcie zasnęły.

Musiała zostawić Rae i wrócić do środka po poduszki i krzesła ogrodowe, obrus. Musiała poruszać się ostrożnie, żeby nikogo nie obudzić. W kuchni zawahała się, pepsi czy miranda? Czego napije się chętniej, powinna była zapytać, teraz musi zgadywać. Pepsi z lodówki. Kostki lodu i konieczny hałas podczas zginania pojemnika z lodem nad zlewem. Stanie w kuchni z wodą z kranu lejącą się na lód, zastanawianie się nad następnym krokiem, szklanka, taca, wynoszenie lodu na zewnątrz... Po marnych, uciążliwych i marnych czasach, to była wielka obfitość.

W ogrodzie rozmowa przyszła łatwo. Wlać pepsi do szklanek i patrzeć, jak się pieni, maleńkie kropelki pryskające na obrus, a potem to, jak ulatują. Rozmowa o chybotliwym stole, spółdzielni po drugiej stronie ulicy, ukończonej pracy doktorskiej Diane.

Mhairi spadła z konia, ale nic jej się nie stało, chociaż się wystraszyła. Opowiedział jej o swoich nowych studentach, skąd pochodzą, nad czym pracują.

– Piszę podręcznik – powiedział. – Wprowadzenie do polityki Afryki Północnej. Uznałem, że najwyższa pora, żebym napisał podręcznik i nie skupiał się tak bardzo na analizowaniu bieżących wydarzeń.

Pił pepsi, a kostki lodu zaczęły się rozpuszczać, ich brzegi gładkie i lekkie.

– To tutejszy zwyczaj, częstować gości napojami, gdy tylko wejdą, a samemu nic nie pić?

Uśmiechnęła się i pokiwała głową. Taki jest zwyczaj, owszem.

– Jakimi liniami przyleciałeś?

– KLM. Miałem przesiadkę w Amsterdamie. Aberdeen, Amsterdam, potem wylądowaliśmy w Kairze, czekałem około godziny. Dotarłem tutaj o drugiej nad ranem. – Uśmiechnął się i spojrzał na nią. – Wtedy spałaś.

O drugiej nad ranem spała głęboko, nie słyszała samolotu lądującego na lotnisku nieopodal. Ale potem, o świcie, usłyszała azan i wstała, żeby się pomodlić. Kolejny świt, prośba o przebaczenie, mówienie, że wszelka wola i siła pochodzą od Allaha, i niewiedza, w ogóle nie wiadomo, co przyniesie dzień.

– Czy na lotnisku wszystko było w porządku? – Czasem utrudniano życie cudzoziemcom, sprawdzano ich bagaż dokładnie i powoli, zadawano mnóstwo pytań.

– W porządku, bez problemów. Taśmociąg bagażowy nie działał, więc całe wieki czekaliśmy na bagaż, ale w końcu wszystko się udało. To była najbardziej bezproblemowa podróż, jaką w życiu odbyłem... Pewnie dlatego, że mam dobre intencje.

Uśmiechnęła się i przez jakiś czas milczeli. Trzymał szklankę w prawej ręce, teraz było w niej tyle samo lodu co pepsi.

– Dlaczego poprosiłeś Fareeda, żeby do mnie napisał, dlaczego sam do mnie nie napisałeś? – zapytała, nie skarżąc się, nie krytykując. List Fareeda był właściwy: oficjalny, odpowiedni, taki, jakiego potrzebowała. Mogła go pokazać Waleedowi i Hanan i powiedzieć: „Musicie porozmawiać z Mahasen, musicie jej powiedzieć, ponieważ będzie jej łatwiej, jeśli usłyszy to od was".

– Chciałem postąpić jak należy – powiedział Rae. – Bałem się, że wyszłaś za mąż. Zasłużyłbym na to...

– Nie, nie, to nasza sąsiadka wychodzi za mąż. – Wciąż mówiła niemądre rzeczy, które nie miały znaczenia.

– Jak się nazywa?

– Nahla. – Przyszło jej do głowy, że Nahla to piękne imię. I że to piękne, że mieszka obok i że tego wieczoru jest jej ślub. Rozległa otwarta przestrzeń Klubu Syryjskiego, głośna muzyka i lekki wiatr, wszyscy w rozpinanych swetrach włożonych na najlepsze ubrania. Rae też mógłby pójść. Przedstawi go Waleedowi i wszystkim znajomym.

– A Nahla to twoja przyjaciółka?

– Tak, chociaż jest ode mnie dużo młodsza. Jedzie do Kataru, gdzie mieszka Yasmin.

– Chciałabyś odwiedzić Katar?

– Kiedyś tak.

Promieniała, tak się zachowywała, promieniała nad nim. Powinna robić mu wyrzuty za przeszłość, omówić kwestie praktyczne. Co ona sobie myśli? Żółta trawa i nieprzycięte drzewa, zapach, który znała, jaśminu i błota.

– Myślę, że nie powinniśmy przedłużać tej tortury.

– Jakiej tortury?

Roześmiał się i wytarł twarz dłonią. Dla niej torturą były dni, kiedy słyszała autorytatywny, logiczny głos mówiący: ktoś taki jak on nigdy nie zostanie muzułmaninem. Głos wyznaczał dystans między nimi, wyliczał prawdopodobieństwo, że on jest z kimś innym, kobietą z lżejszym wzrokiem, lżejszym sercem...

– Chodzi mi o to, że jeśli pobierzemy się w tym tygodniu, to będziemy mogli dokądś pojechać. Będzie na to czas, bo nie muszę wracać do Aberdeen aż do połowy stycznia. Myślałem o Aswanie. Byłaś kiedyś w Aswanie?

– Nie. – Jej głos był nieco przygaszony, ponieważ przypomniała sobie zły głos.

– Ja też nie byłem. – Obserwował ją, zmianę wyrazu jej oczu. – Niedaleko miasta jest High Dam, wielki projekt Nassera. Słyszałem, że na południu Egiptu jest podobnie jak tutaj pod względem klimatu i ukształtowania terenu. Byłoby miło, jak sądzisz?

Uśmiechnęła się.

– Byłoby miło.

– Mogłabyś zostawić Amira z ciotką, a potem byśmy wrócili i wszyscy razem pojechali do Aberdeen.

Pokiwała głową, ale wydawało jej się to skomplikowane, jechać na północ, a potem wracać do Chartumu.

– Byłoby łatwiej tamtego dnia w Aberdeen, śnieżnego dnia...– zamilkła. Nie powinna tego mówić. Nie chciałby, żeby rozmawiali o tamtym dniu.

Kiedy się odezwał, miał cichy głos:

– Koran mówi, że czyste kobiety są dla czystych mężczyzn... A ja nie byłem wtedy dostatecznie czysty dla ciebie...

Spojrzał w stronę domu i Sammar też się odwróciła. Dalia schodziła po schodkach z ganku, wyglądała na zaspaną, z kosmykami sterczącymi z warkoczyków. Usiadła na oparciu krzesła Sammar, kładąc głowę na jej ramieniu. Wpatrywała się w Rae, zbyt śpiąca, żeby okazać większe zainteresowanie.

– Jeszcze śpisz? – spytała Sammar po arabsku, po tym, jak wyjaśniła Rae, kim jest Dalia. Dalia pokiwała głową i potarła nos.

– Nie podasz panu ręki?

Dalia pokręciła głową.

– On mówi po arabsku. Znasz arabski, prawda? – spytała Rae.

– Trochę, nie za dobrze.

– Nie umie poprawnie mówić – wyszeptała Dalia do ucha Sammar, czym ją rozśmieszyła.

– Musi więcej ćwiczyć – wyszeptała Sammar w odpowiedzi. – Ale ty powinnaś być miła i powiedzieć *salamu alleikum*.

Dalia posłuchała. Wyglądała teraz na bardziej obudzoną.

– *Alleikum al-salaam* – odpowiedział Rae. Dziewczynka uśmiechnęła się i nieco wyprostowała. Zauważyła leżący na ziemi rower Amira, porzucony i dostępny.

Patrzyli, jak odchodzi w pogniecionej i za małej domowej sukience, z niedopiętym zamkiem na plecach. Zaczęła wolno jechać na rowerze i zniknęła im z pola widzenia, na tyłach domu.

– Będzie za tobą tęskniła – powiedział Rae, a w jego głosie pobrzmiewało coś ostatecznego. Dla Sammar było jasne, że naprawdę wyjedzie z Chartumu i wróci z nim do Aberdeen. Opuści Dalię i już nie będzie z nią blisko, tą codzienną bliskością, bliskością przy posiłkach, spaniu. Zabierze Amira od kuzynów, babki, z jego domu. Wywiezie go do miejsca, gdzie wszystko jest szare, a dźwięki przytłumione chmurami, do nowej szkoły, gdzie mogą go nie lubić, patrzeć na niego ze zdumieniem. A ona opuści to miasto, z jego pylistym wiatrem i zapachami.

– Gdybym była kimś innym, kimś silnym i niezależnym, powiedziałabym ci teraz, że nie chcę z tobą wracać, nie chcę opuszczać rodziny, za bardzo kocham swój kraj.

Drażniła się z nim głosem pełnym smutku.

Nie wyglądał na zaskoczonego.

– Nie jesteś kimś innym – powiedział.

Na brzegu pustej szklanki stojącej na tacy przysiadła mucha.

– Teraz już za późno – dodał.

– Wiem.

Miała szansę i nie udało jej się zastąpić go swoim krajem ani niczym innym.

– Nasza religia nie opiera się na cierpieniu – przypomniał. – Nie jest też przywiązana do konkretnego miejsca.

Jego słowa sprawiły, że poczuła z nim bliskość. Przyciągnął ją, bliżej niż kiedykolwiek wcześniej, ponieważ teraz bliskość była ich, nie tylko jej. I dlatego, że rozumiał. To nie religia pełna tragizmu, religia odkupienia poprzez ofiarę.

– Wreszcie zrozumiałem, że nie ma to nic wspólnego z tym, ile przeczytałem ani co wiem o islamie. Wiedza jest konieczna, to prawda, ale wiara, ona pochodzi bezpośrednio od Allaha.

To cud, pomyślała. Od kiedy dostała list od Fareeda, budziła się w środku nocy, uśmiechając się w ciemności, zdumiona tym, co się stało, nie mogąc zasnąć.

– Kiedy wyjechałaś – mówił – pomyślałem, że jeśli to nie jest wystarczającym bodźcem, żebym się nawrócił, to nic nim nie będzie, i poczułem się chory, kręcąc się tu i tam pozbawiony równowagi. – Powiedział, że raz nie zdążył na samolot do Paryża. Źle odczytał numer bramki i się spóźnił. Biegł bez tchu korytarzami pełnymi ludzi wracających z wakacji, radosna opalenizna, dzieci trzymające wielkie balony z Myszką Miki. Zanim dotarł do właściwej bramki, było za późno. Padł na krzesło i wyjął inhalator, żeby złapać oddech, i patrzył przez szybę, jak jego samolot kołuje na pasie startowym.

– To mnie wypaliło. Cała ta bieganina na nic... – Roześmiał się i ukrył twarz w dłoniach. Kiedy spojrzał na nią, zobaczył, że opis rozgorączkowanych korytarzy pełnych balonów z Myszką Miki wywołał uśmiech na jej twarzy.

No i czas, kiedy chorował, powiedział. Kolejny atak astmy, wichury w Aberdeen łamiące drzewa, a on w domu, niemogący oddychać. Jak długo może trwać noc, jaka może być trudna bez snu? Wdychanie powietrza, które nie chce wpaść do środka. W tej bezradności, w tym upokorzeniu potrzeba modlitwy. To było takie uczucie, ani wzniosłe, ani zwyczajne. Nie modlitwa o dobro ludzkiego gatunku czy powodzenie, ale żeby po prostu móc oddychać.

– Najbardziej żałuję – opowiadał – że pisałem rzeczy w stylu: *islam daje poczucie godności tym, którzy bez niego nie mieliby godności w swoim życiu*, jakbym sam nie potrzebował godności.

Mucha latała nad tacą, brzęcząc. Sammar odgoniła ją machnięciem ręki.

– Byłem trochę zaskoczony. Nie uważałem się za kogoś, kto wejdzie na duchową ścieżkę...

– A ja tak. Czasem czułam, że jest w tobie coś bardzo ciężkiego i nieruchomego.

– Religijny wymiar, który jest w każdym?

– Może.

Wydawało jej się to czymś uśpionym, głęboko uśpionym, nieruchomym. Czymś, do czego chciała się zbliżyć, pozostać przy tym blisko, aż się obudzi.

– Ostatecznie zrobiłem jeden krok, pragnąc tego dla siebie, w oderwaniu od pracy, i wtedy to wszystko na mnie spłynęło. To było takie uczucie.

– Co wszyscy na wydziale o tym sądzą? Powiedziałeś im?

– Tak... uważają, że to kryzys wieku średniego. – Roześmiał się i przeniósł wzrok na spółdzielnię po drugiej stronie ulicy.

Zmarszczyła czoło, zaniepokojona, czy stracił wiarygodność w ich oczach jako obiektywny obserwator Bliskiego Wschodu. Powiedziała mu, że Yasmin stwierdziła kiedyś, że gdyby się nawrócił, popełniłby zawodowe samobójstwo.

– Już wyrobiłem sobie nazwisko. Nie przejmuj się. Ja się nie przejmuję.

Ma rację, nie powinna się przejmować. Dobra pochodzą od Allaha, przyjdą od Allaha, nie powinna się martwić.

– Tak bardzo cię podziwiam...– Spuściła wzrok na trawę. Gdy go podniosła, w jego oczach i głosie było ciepło.

Dalia jeździła wokół domu na rowerze, klekot kół na cemencie wiaty. Popatrzyła na Sammar i Rae i znów zniknęła za domem.

– W moim pokoju hotelowym jest szczur – powiedział. To sprawiło, że roześmiała się z niedowierzaniem i przerażeniem i zapytała, ponieważ zapomniała zapytać, w którym hotelu się zatrzymał.

Podał nazwę jednego ze starszych, bardziej podupadłych hoteli z widokiem na Nil. Nie najlepszy z możliwych, ale nie powinny po nim biegać szczury. Słyszał go w nocy, przy ścianie niedaleko szafy.

– To straszne – powiedziała przepraszająco. W końcu to jej kraj, Rae jest jej gościem.

– Prysznic nie działa. To chyba gorsze niż szczur...

– Poskarżyłeś się?

Pokiwał głową.

– Obiecali, że naprawią. Póki co, dali mi wiadro i dzbanek. Ale nie wyglądali na przejętych szczurem.

– Przykro mi.

Współczuła mu z całego serca, bo wyglądał na zrezygnowanego.

– Za to widok jest wspaniały – stwierdził. – W pokoju jest balkon i dzisiaj o świcie rzeka... wyglądała niezwykle malowniczo.

Wyobraziła go sobie, jak stoi na balkonie i patrzy na Nil. Hotel wybudowali Brytyjczycy w epoce kolonialnej. Kiedyś błyszczał i miał znaczenie. Teraz był sypiącym się, sennym budynkiem tolerującym szczury i zepsute prysznice. Lecz mimo to widok był taki sam jak przedtem, pełnia natury, ostatni kawałek Błękitnego Nilu, zanim zakręcał i łączył się z inną rzeką, zmieniał kolor i kierował się na północ.

Mówił o widoku z balkonu, pierwszych wrażeniach z Chartumu. Poprzedniej nocy: słabo oświetlone lotnisko, cisza. Taksówkarz powiedział mu, że jest godzina policyjna, ale taksówki jadące na lotnisko i z powrotem mają przepustki. W drodze do hotelu zatrzymała ich blokada, punkt kontrolny. Policjant był ubrany w szary płaszcz i miał karabin przewieszony przez ramię. Po przywitaniu wziął przepustkę od taksówkarza i obejrzał ją w świetle latarki. Nie poprosił Rae o dokumenty.

– Na ulicach jest ciemno, jak uprzedzałaś – powiedział Rae. – To zaskakujące, ta zależność od księżyca i gwiazd.

Powiedział jej, że nie zapomni tego miasta. Zapamięta je na całe życie. Jest coś w jego powietrzu, coś ponurego i delikatnego, wzmocnionego przez płaską pustynię i dominujące niebo. Zapytał ją o Umdurman. Czy to daleko stąd?

– Umdurman jest piękniejszy. Przez most, drogą prowadzącą z twojego hotelu. Świętych grzebie się w Umdurmanie.

– Kiedy byłem młody, mój ojciec miał stare mapy. Takie, na których była Erytrea i Palestyna. Lubiłem je oglądać. Widywałem nazwę „Umdurman" napisaną w pobliżu niebieskiej nitki Nilu. Mówiłem do siebie „Umdurman", raz za razem, podobał mi się ten dźwięk.

W takim razie pojadą zwiedzić Umdurman. Są tam stare domy, do których można wejść, targ wielbłądów.

– Cały ten kurz tutaj... boję się, że zaszkodzi twoim płucom – powiedziała.

– Nie przeszkadza mi, astma jest wrodzona. Suchy klimat mi służy. Zauważyłem, że tu jest bardzo sucho, zdrowo dla kości.

– Starość? – Uśmiechnęła się.

Roześmiał się.

– Kiedy zacząłem się modlić, bolały mnie kolana i też pomyślałem „starość", ale teraz już tak nie bolą...

– Tego mi brakowało, ciebie uczącego się modlitwy...

Odgłosy z ogrodu, samochodu gdzieś daleko na ulicy.

– To samotne doświadczenie. Nie da się tego uniknąć.

– Co takiego?

– Duchowa ścieżka. Każdy jest na niej sam.

Dalia starała się wciągnąć rower na ganek. Po kilku próbach jej się udało i patrzyli, jak jeździ wokół doniczek z kaktusami i bugenwillą, koła suną gładko po płytkach ganku.

Zagrajmy w coś! – powiedziałam. Chciałam, żeby moje oczy błyszczały i cieszyły go.

– Będziemy sobie nawzajem dawali myśli. Wypłyną z nas, a potem nabiorą kształtu i koloru, staną się materialnymi podarunkami.

– Ty pierwsza – powiedział. – Co ode mnie dostałaś?

Pokazałam mu trzy kawałki materiału. Rozwinęłam jedwab koloru pustyni, mahoniową wełnę, białą bawełnę z chmur.

– Podarowałeś mi jedwab z powodu tego, jak zostałam stworzona, a wełnę podarowałeś mi, żeby było mi ciepło.

– Wełnę, ponieważ chcę cię chronić, a bawełnę, ponieważ jesteś czysta.

Potem popatrzyłam na to, co on dostał ode mnie. Niezwykle gładka misa, w środku płyn podobny do mleka, pachnący piżmem.

– Czy to perfumy? – spytałam, jakbym urodziła i teraz chciała wiedzieć, czy dziecko, które nosiłam przez wiele miesięcy, jest chłopcem czy dziewczynką.

– Nie – odparł i mówił dalej z namysłem: – To coś od ciebie, co da mi siłę.

Kiedy to nazwał, odwrócił wzrok, jakby się wstydził.

– Podziw – powiedział.

Wydawca poleca

Minaret

Leila Aboulela

W swoim muzułmańskim hidżabie, ze spuszczonym wzrokiem, Najwa jest niewidzialna dla większości, szczególnie dla bogaczy, których domy sprząta. Dwadzieścia lat wcześniej Najwa, studiująca na uniwersytecie w Chartumie, nie przypuszcza nawet, że pewnego dnia będzie zmuszona pracować jako służąca. Marzeniem młodej, wychowanej w wyższych sferach Sudanki, było zamążpójście i założenie rodziny. Koniec beztroskich chwil Najwy przyszedł wraz z zamachem stanu, w którego wyniku została skazana wraz z rodziną na polityczne zesłanie do Londynu. Nie spełniły się jej marzenia o miłości, ale przebudzenie w nowej religii, islamie, przyniosło jej inny rodzaj ukojenia. W tym momencie w jej życiu pojawia się Tamer, pełen życia, samotny brat jej pracodawczyni. Obydwoje znajdują wspólną więź w religii i powoli, niezauważalnie, zakochują się w sobie...

Wydawca poleca

premiera czerwiec 2010

Arabska perła

Maha Gargash

Siedemnastoletnia Noora nie przypomina innych kobiet ze spalonych słońcem gór Półwyspu Arabskiego. Choć dzieli z nimi nędzę i z pokorą znosi swój los, płonie w niej ogień niezależności. Po śmierci matki jej ojciec popada w szaleństwo, a jego obowiązki przejmuje brat Noory, który postanawia wydać ją za mąż. Dziewczyna odmawia i ucieka do wioski w górach. Ukrywając się, zakochuje się w pierwszym mężczyźnie, który docenia jej urodę, lecz z przerażeniem dowiaduje się, iż został już obiecany innej dziewczynie z tej wsi. Kiedy Noora wraca do domu, okazuje się, że ojciec zaginął, a brat zaaranżował jej małżeństwo.

Dziewczyna zaczyna więc nowe życie nad morzem. W nocy posłusznie oddaje się mężowi, a w dzień musi znosić zniecierpliwienie pierwszej żony i zazdrość drugiej. Na dodatek nie może zajść w ciążę i boi się, że z tego powodu zostanie wyrzucona z domu. Pewnego dnia nawiązuje krótki, lecz namiętny romans z mężczyzną terminującym u jej męża i zachodzi w ciąże. Jeśli chce ujść z życiem, musi za wszelką cenę utrzymać to w tajemnicy.

Wydawca poleca

Klub niewiernych żon

Carrie Karasyov

Cztery bogate i znudzone mężatki z Los Angeles zawierają umowę: każda w ciągu roku ma zaangażować się w co najmniej jeden romans. O ich sprawkach nie może dowiedzieć się nikt – mają się zwierzać tylko sobie i wzajemnie wspierać. Tak więc wkraczają – dwie ochoczo, jedna ostrożnie i jedna bardzo niechętnie – na niebezpieczne ścieżki zdrady. Nim minie rok, odkryte zostaną tajemnice, spiętrzą się zdrady, wyjdą na jaw ukryte pragnienia, wypowiedzianych zostanie wiele kłamstw. Każda z kobiet stanie twarzą w twarz z prawdą o sobie, o tym, kim jest, i co jest w życiu najważniejsze.

Za rogiem czai się niebezpieczny plotkarz, a w sercach niebezpieczne namiętności. Bohaterki napotkają na swej drodze mężczyzn interesujących i nudnych, czarujących i podejrzanych, zetkną się z zawiścią, plotkami, nieczystymi intencjami, popełnione zostanie morderstwo, aż wreszcie wszystkie (no, prawie) znajdą... prawdziwą miłość.

Wydawca poleca

Kobieta na wysokich obrotach

Poradnik dla kobiet

Nora Isaacs

Życie na zbyt wysokich obrotach – w sensie emocjonalnym i fizycznym – to chleb powszedni wielu kobiet na różnych etapach życia prywatnego i zawodowego. Czy to zaraz po studiach, u progu kariery, czy dekadę, dwie później, gdy usiłują pogodzić troskę o rodzinę z pracą... Autorka bierze pod lupę status córek Ewy w kulturze pośpiechu, w której przyszło nam żyć. Pod lupą tą widać, że współczesna kobieta nie ma motywacji, by szalone tempo swego życia nieco zwolnić, odpocząć, znaleźć chwilę dla siebie. Kobietom w każdym wieku Nora Isaacs wskazuje możliwe zjazdy z tej autostrady wiodącej wprost ku wypaleniu, a także opisuje sposoby, jak zachować równowagę w tej podróży przez świat i pozbyć się tego, co w życiu niepotrzebne – aby je choć trochę uprościć.

Wydawca poleca

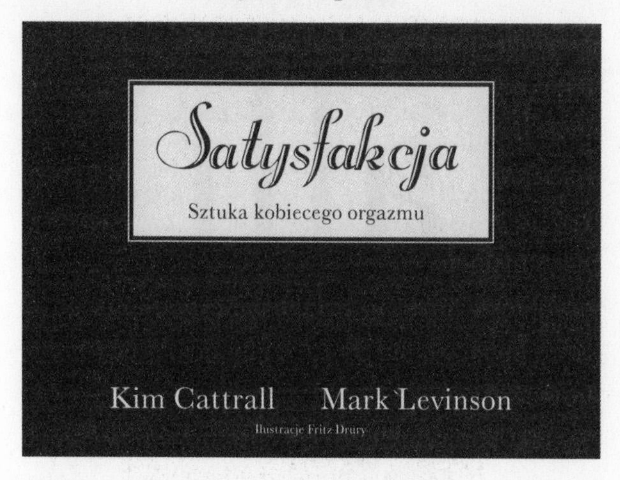

Satysfakcja

Sztuka kobiecego orgazmu

Poradnik dla par

Kim Cattrall, Mark Levinson

Przejrzysty tekst i ponad sto pięknych ilustracji pomogą mężczyźnie zostać wspaniałym kochankiem, a kobiecie opowiedzieć mu o swych pragnieniach. Książka przeznaczona jest dla ludzi szukających silniejszych więzi i większego zadowolenia z życia seksualnego dzięki głębszemu uświadomieniu sobie potrzeb partnera, uczciwości i komunikowaniu swoich życzeń. „Satysfakcja" nie jest jedynie książką o technice, mówi także o miłości i bogactwie uczuć, które wynikają z troski o spełnienie seksualne partnerki. Autorką jest Kim Cattrall, znana z roli Samanthy Jones w serialu „Seks w wielkim mieście".